迷走する韓国をどうしたら救えるか

!日本も韓国病を患っている

加瀬英明 著

勉誠出版

まえがき

韓国で反日熱が燃えさかって、日本国民が嫌韓感情を、いやおうにも募らせている。

多くの日本国民が、どうして韓国がこれほどまで、日本を憎まなければならないのか、あっけにとられている。

私たちはいったい、どう韓国を理解すればよいのだろうか？

日本にも、日韓関係を悪化させてきた、大きな責任がある。

私が韓国をはじめて訪れたのは、一九六四年で、日韓基本条約によって日韓国交正常化が行われた、前年に当たった。

韓国で多くの親しい友人をつくって、今日に至っている。

その後、足繁く韓国に通ったが、あのころの韓国は親日国だった。

今日から振り返ると、韓国のありかたが五十五年のあいだに、何と大きく変わったことだろうか。

韓国がこのように過激としかいえない、反日国家になってしまったのは、不思議としかいえない。

どうしてなのだろうか？

フランスと韓国は、よく似ている。読者は、韓国とフランスというと、意外な組み合わせだと、思われることだろう。

ナチス・ドイツの占領下で、フランス国民はナチスに協力したが、ユダヤ人狩りを行い、アウシュビッツなどの絶滅収容所へ送った。

だが、連合軍の手によって独立を回復すると、全員がレジスタンスに加わったふりをするようになった。

韓国民は三十六年間の日本統治に、ほぼ全員が協力した。

日韓併合十年目に、三・一独立運動事件が起ったのが、唯一つの例外だが、全土に拡がったものの、一過性のものだった。

韓国では「三一節《サムイルチョン》」と呼ばれて、重要な祝日となっている。

ところが、裁判で誰一人として、死刑にも、無期懲役にもならなかった。三年以上の懲役刑は、三十二人だけだった。

この三・一騒擾《そうじょう》事件にあたって、中心となった役割を演じて、裁判にかけられた多くの者が釈放されると、日本統治に積極的に協力するようになった。

三・一独立運動事件後、日本の敗戦がもたらした日韓併合時代が終わるまで、一度として、独立を求めた小規模な騒動すら起っていない。

外国による占領、統治に積極的に協力した国民ほど、独立を回復すると、負い目を晴らすために、過剰な愛国的行動に走る。

韓国の反日熱は、日本統治がいかに喜ばれたか、証している。日本の勲章といって、よいのではないか。

韓国はまるで幼児の国のようだ。論理的でなく、行動にまったく合理性がない。国際的な約束事も、守らない。まだ幼くて、判断力が身についていない子供のようなのだ。

もっとも、私たちは韓国に深く感謝しなければならない。

文在寅《ムンジェイン》大統領が、側近の曹国《チョグク》氏を法務長官に任命しようとしたところ、曹氏の妻、娘など家族ぐるみのスキャンダルが、つぎつぎと露見して、あいもかかわらない大騒ぎとなった。

文大統領はそれにもかかわらず、曹氏を法務長官に任命した。曹氏は辞任を求める大規模な抗議集会によって、任命後、僅か三十六日目に辞職することを強いられた。

多くの韓国民が文政権に対して、強く反発している。

この騒ぎは、アメリカをはじめ全世界でテレビによって、報道されている。

韓国と較べて、日本はなんとまともで、信頼できる国なのか、日本の評価がたかまっている。

このところ、日本で嫌韓本がつぎつぎと出版されている。

書店を覗くと、『韓国壊乱』とか、『韓国にとどめを！』『韓国、ウソの代償』『韓国疲れ』『めんどくさい韓国』『韓国――絶縁宣言』『絶望の韓国』…といった題の単行本や、雑誌の見出しが、押し寄せてくる。

だが、私は韓国を少しも、嫌っていない。

本書は嫌韓本ではないことを、断りたい。

私は韓国に愛着をいだいているし、いまでも韓国を親しい国だと思っていることに、かわりがない。

どうして、韓国が今日のような国になってしまったのか。

私は本書をできるだけ客観的に、韓国人が背負ってきた歴史や、そのなかで培われた独特な精神構造や、生活文化に配慮しながら、韓国人になったつもりで、書こうと思いたった。

日本国民は、日韓関係を大きく歪めてしまった責任を、反省しなければならない。

それに、私は今日の日本国民が韓国を嗤《わら》う――というと、はたして上からの目線で見降して、軽蔑する資格があるものだろうか、疑っている。

本書のなかで、説明したい。

目　次

第一章　反日の実態と原因

日本にだけ甘える韓国

韓国が経済的に発展して、国際的な地位が高まって、自信を増すにしたがって、自国を誇る心情が強まるようになったのは、おおいに理解できる。

今や、韓国は経済規模を示すＧＤＰ（国内総生産）による世界の順序では、十二位の経済国家となっている。

スペインや、オーストラリア、オランダ、スウェーデンよりも、上にある。

韓国では、日本から独立を回復したとされる八月十五日が、光を回復したといって、「光復節《クアンボクチョル》」と呼ばれている。

一年を通して、もっとも重要な祝日となっている。

八月は、韓国にとって、日本の「不法な植民地支配」――「暗黒の時代」から解き放されて、独立を回復することができた月に、当たっている。

二〇一九年のこの月、文在寅《ムンジェイン》大統領は「日本と合意しても、それで終わるものではない」と演説して、日本とのあいだに結ばれた条約や、協定、合意を守る必要がないといって、切り捨てた。

もちろん、韓国は日本以外の諸国との合意は守るが、日本だけが例外だ。

日本との合意は、いくら破ってもかまわない。

どうして、日本をこれほどまで憎まなければ、ならないのだろうか？

きっと、読者も困惑されておられるに、ちがいない。

民主主義国が、それも国をあげて、同じ民主主義国の隣国を憎むというのは、世界に他に例がない。あまりにも異常なことだ。

私と韓国とのお付き合いは、長い。

私はこれまで三つの大学の客員教授を、つとめてきた。

講義した後で、韓国の留学生を誘って、コーヒーを飲むことにしてきたが、「大韓民国はどの国から、独立したのですか？」と、たずねることにしていた。

すると、全員からきまったように、「日本です！」という返事が、戻ってくる。

だが、この答は誤っている。

文在寅大統領

私が「しかし、日本が先の大戦に敗れた一九四五年八月から、一ヶ月後の九月に、日本総督府から日章旗が降ろされて、日章旗のかわりに、アメリカの星条旗が掲げられました。

この月に、ホッジ中将が指揮するアメリカ軍が、南朝鮮（今日の韓国）に進駐して、全土を占領しました。

このニュース映画の映像がありますから、皆さんもきっと見たことがあるはずです。

そして、一九四八年にアメリカの意志によって、アメリカ軍による占領が終わって、旧日本総督府から星条旗が降ろされて、大韓民国の大極旗《デククキ》がはじめて掲揚されました。

したがって、韓国は日本からではなく、アメリカによって占領された後に、アメリカから独立したのですよ」というと、史実をはじめて知ったのか、黙ってしまう。

韓国人は何ごとについても、大らかだから、歴史をとっても、細部にこだわらない。

日本においても、昨年（二〇一九年）、七十四年目の「光復節」が、在日韓国人の韓国居留民団によって、東京都内で盛大に祝われた。

私が本書でいいたいことを、韓国居留民団の呂健二《ヨオコンイ》中央団長が、代弁してくれた。

この日、呂団長がつぎのような「光復第七十四周年慶祝辞《クアンボク・ジェチルシップサチュニヨン・キョンチユクサ》」を、述べた。

「日本に住む全国同胞の皆さん！

韓日関係の成り行きに胸を痛め、心配していることと思います。

中央団長として、このような状況のなかで、皆さんをどう励ませばよいのか、悩む日々が続いています。

私たちにとって韓日関係は、死活問題です。

韓日関係は、空気のような存在で、普段は意識することもありません。そして意識しないことがよいことなのです。

ところが、最近、息苦しくなっています。（略）」

「親愛なる同胞の皆さん！

私たち在日同胞は、韓国と日本の平和の象徴です。在日同胞の存在は、平和の上に成り立っています。

韓国は産みの親であり、日本は育ての親です。

両方の親が争ったからといって、どちらかに組みすることはできません。仲直りさせるために、全力を尽すほかありません。（後略）」

私も良好な日韓関係を、心の底から願ってきた。

その一人として、この祝辞を読んで胸を痛めた。

だが、「韓国は産みの親であり、日本は育ての親」というのは、在日韓国居留民だけに限らない。

日本は在日韓国居留民にとってだけではなく、日韓併合時代をとっても、第二次大戦後にアメリカの占領から独立した大韓民国にとっても、「育ての親」なのだ。

もっとも、韓国の日本統治時代に始まった経済・社会発展は、韓国民の積極的な協力なしに、もたらされることがなかった。

日本統治下の韓国に居住していた日本人は、もっとも多かった時でも、人口の僅か三%にしか、当たらなかった。

だが、仮に朝鮮が、中国の属国であり続けたか、ロシアの支配下に置かれていたとしたら、今日、韓国が台湾と並ぶ近代工業国家となっていなかったはずである。

朝鮮は大韓帝国《デハンジェグク》として、清国から一八九七年に独立するまでの国号だ。

もし、朝鮮半島が中国の属領であり続けたとしたら、中国の貧しい地方ほどの経済水準にあったことだろう。

もし、ロシアの支配下に組み込まれていたとしたら、旧ソ連の中央アジアの共和国の低い水準に、留まっていたことだろう。

第二次大戦後の韓国の「漢江の奇蹟《ハンガン・ウィ・キジョク》」と呼ばれるようになった、目覚ましい経済発展も、日本が日韓基本条約によって供与した巨額の協力金によって、実現することができた。

私は台湾とも、親しくしてきた。もし、日本が日清戦争後、台湾を統治することがなく、今日にいたるまで中国の統治下にあったとすれば、今日の台湾は海南島と同じ経済・社会水準にあったはずだ。

台湾と海南島は面積が、ほとんど同じだ。

韓国も、台湾も、〝ミニ日本〟なのだ。〝メイド・イン・ジャパン〟である。

韓国にとっても、台湾にとっても、日本が「育ての親」であってきたことは、歴史的事実である。

韓国は無邪気で可愛らしい国

このところ、韓国においてかつてなく反日感情が募っている。

そのなかで、韓国のテレビが私の映像を流して、責めたてている。

読者はどうしてなのかと、訝《いぶか》られるにちがいない。

私も、ただただ、あっけにとられている。

韓国の親しい友人が、私が登場するテレビの映像をスマホで送ってくれるが、私がしばらく前に都内で講演をして、「韓国は子供のようで、可愛らしい国だ」と述べているところで、「驚愕《キョンアク》すべき妄言《モンウオン》を吐いた！」という、解説が入る。

そのうえで、友人が「どうして、中国や、ロシアも、日本をいじめているのに、『可愛い』といわないのか」という、メールをくれた。

そこで、私は「中国や、ロシアはおとなの国で、狡いから計算して、自分の損になることはしません。ところが、韓国は幼児のように、見境なく癇癪《かんしゃく》を爆発させて、自分を損ねています」と、答えた。

韓国は幼児に似ているから、無邪気なのだ。

中国や、ロシアのような邪気がない。可愛らしい国だから、真剣になって憎めない。

おとなのように、計算ができない。私は友人へのメールに、「トイレの訓練ができないまま、成長したようなものですね」と、書き加えようとしたが、いくらなんでも失礼に当たると思って、とどまった。

別のテレビ番組では、私の映像に「日本会議代表委員、史実を世界に発信する会代表、『慰安婦の真実』国民運動会長、新しい歴史教科書をつくる会顧問」というテロップをかぶせて、「安倍首相とともに、日本会議が『征韓論《ジョンハンロン》』を主張している」という声が、流れる。

あいだに、旭日旗《ユクイルギ》を掲げて行進する旧日本軍、東條首相、靖国神社の映像が、毒々しく挿入されている。

今年（二〇一九年）に入って、日本人も加わって製作した反日映画の『主戦場』が、国内の小さな映画館で上映された。

上智大学の知人の教授から電話があって、学生が卒業制作として映画をつくるから、つきあってほしいと、頼まれた。

興行用の映画だとは知らなかったので、騙されてしまったが、同じように出演した藤岡信勝教授や、櫻井よしこ氏、ケント・ギルバート氏などが詐欺だとして、裁判をおこしている。

もちろん、私はこの映画をみていないが、巻末で私を「日本の極右勢力の黒幕」と呼んでいるというから、もう吹きだして、笑うほかなかった。

いま、『主戦場《ジュンソンジャン》』は、韓国全土で上映されて、ヒットしている。

そして、ついに私の親族まで、捲き込むことになった。

アメリカに、人気ファッション・モデルのシャーロット・ケンプ・ミュールがいる。

シャーロット・ケンプ・ミュール

シャーロットが日本の旭日旗《ユクイルギ》を、胸に大きくあしらった、Tシャツを着たところ、韓国の新聞、テレビが、「ナチスの鉤十字旗《ハーケンクロイツ》と同じ犯罪的な旗をまとった」といって、非難を浴びせた。

旭日旗は朝日の旭光をかたちどっているが、海上自衛隊の軍艦旗や、朝日新聞社の社旗や、大漁旗に用いられ、昔から婚礼、新築祝いに当たる棟上式《むねあげしき》などを飾ってきた。

シャーロットは少しも臆することなく、「この旗はナチスの鉤十字旗よりも、はるかに昔からあるもので、ナチスの旗と同列におけない。まったくの見当外れだ」と、反論した。

シャーロットは、私の従姉妹であるヨーコ・オノとして知られる、小野洋子の息子のショーン・タロー・オノ・レノンの恋人だ。

ショーンは、ミュージシャンとして活躍しているが、すぐにシャーロットを応援して「美しい旗だ」と、語った。

韓国のテレビのなかには、洋子とジョン・レノンが靖国神社を参拝している写真を、私の著書からとって報じた局もあったが、世界的に人気が高いビートルズのヨーコとショーンを相手にとったら、勝ち目がないと覚ったのか、それ以上、追及するのをやめてしまった。

韓国では旭日旗を、「戦犯旗《チョンボンギ》」と呼んでいる。二〇一一年以後のことだ。

韓国は北朝鮮の脅威に対して、日本と防衛協力を行わなければならないのに、海上自衛隊の艦船が旭日旗を掲げて、韓国の港を訪れることを拒んでいる。

韓国は二〇二〇年の東京パラリンピック大会の金銀銅メダルのデザインが、旭日旗に似ているといって、変更するように要求している。

パラリンピックのメダルは旭光ではなく、唐草模様のオリンピックのメダルのデザインに合わせて、扇《おうぎ》や、扇子《せんす》の骨のひろがりをあらわしている。

扇子や、自転車の車軸をはじめとして、放射線状の模様を見ると、旭日旗を連想して、昂奮してしまうのだろう。

バルカン半島にある北マケドニア共和国の国旗は、赤地に黄色い旭日をあしらっている。だが、韓国が「戦犯旗」だといって、非難したという話を、きいたことがない。ところが、韓国が旭日旗を「戦犯旗」と呼ぶようになったのは、これもごく最近のことなのだ。

深く考えることなく、思いついたことを、すぐに実行するところが、幼児なのだ。

自国の歴史を歪曲する

韓国は奇想天外で、まるで、すべてが逆か立ちしているようだ。

私は『不思議の国のアリス』を、思い出してしまう。

十九世紀のイギリスの数学者で、童話作家だったルイス・キャロルの奇想天外な作品だ。

少女アリスが野原で遊んでいると、チョッキのポケットから懐中時計を出して、「たいへんだ、遅れてしまう！」と呟きながら、急いでいる兎に出会う。

アリスが好奇心を募らせて、あとを追ってゆくと、兎が飛び込んだ穴に落ちてしまう。

アリスはあまり長いあいだ落ち続けるので、「落ちる！　落ちる！　いったい、底があるだろうか？」と、底に着いた時には、地球の裏側に出てしまって、自分が逆立ちしているのではないかと、目をまわしながら、心配する。

それにしても、韓国はどうして日本だけに対して、「戦犯《チョンボン》」という呪わしい言葉を用いるのだろうか？

この二十年ほど、韓国は昭和天皇を「戦犯」、上皇陛下が在位されていた時には、「戦犯の息子《チョンボン・ウィ・アドゥル》」と呼んでいた。

なぜなのか、日章旗《イルジャンギ》を「戦犯旗」ときめつけないのに、旭日旗にそのような烙印が押されている。

多くの戦前から存在している、二百七十社あまりの日本企業が、「戦犯企業《チョンボン・ギオプ》」の汚名を着せられている。

日本製品に対する不買運動が、全国にひろげられ、ソウル市、プサン（釜山）市が日本の「戦犯企業」の製品を買うことを禁じる条例を、制定している。

ところが、一九五〇年に韓国を侵略して、朝鮮戦争を始め、大韓民国にかつてなかった甚大な被害を及ぼした北朝鮮を、「戦犯」と呼ぶことはない。

また、マッカーサー元帥指揮下の国連軍が、この年十月に朝鮮半島と満州（中国東北部）の境の鴨緑江まで達して、あと一歩で、韓国のもとで朝鮮半島を、統一することができたのに、その時、中国が人民解放軍の大軍を、鴨緑江を渡って投入した。

そして、共産軍が再び三十八度線を突破して、ソウルを占領することによって、戦争を一九五三年まで長引かせ、韓国だけで百三十万人以上が生命を失った。

それなのに、なぜなのか、韓国は中国を「戦犯」とか、中国の五星紅旗を「戦犯旗」と呼ぶことがない。

もし、一九五〇年十月に、中国の人民解放軍が、大挙して朝鮮半島に介入しなかったとすれば、韓国は李承晩《イスマン》大統領のもとで統一されて、今日に至っていたはずだった。

李承晩大統領

南北の統一こそ、韓国民の夢であってきたはずではないか？

北朝鮮の金日成《キムイルソン》主席が、韓国に対して侵略戦争を始めて、朝鮮半島を破壊しつくしたのに「戦犯」、その息子の金正日《キムジョンイル》総書記が「戦犯の息子」と、呼ばれることがない。

どうして、日本だけが「戦犯」として、国をあげて恨まれるのだろうか?

韓国民が韓日併合《ハンイルヘバン》と呼ぶ、日韓併合のもとで、日本統治にあげて協力した過去を、永遠に許すことができないからなのだ。

といって、自分の罪を認めるわけにゆかない。罪を日本に負わせることによって、癒されるのだ。

そのうえ、李朝五百年にわたって、中国の属国であったところを、日清戦争後にはじめて大韓帝国として独立することができたのも、第二次大戦後の大韓民国をとっても、自分の力で独立を勝ち取ったのではなかった。

日清戦争後に独立できたのは、日本の力によった。

大韓民国も、自分の力によってではなく、アメリカによって、外から独立を与えられたから、傷口がいっそう痛む。

そのために、自国の歴史を正視することができない。

歴史を歪曲することによって、傷を舐《な》めることができる。

「親日派」という罵倒語

今日の韓国で「親日派《チンイルパ》」といったら、〝売国奴〟か、〝非国民〟を意味している、きわめつけの罵倒語だ。

ところが、「チンイルパ」という言葉は、日本統治時代を通して、存在していなかった。

私は今日の韓国民に、なぜ、「日帝時代《イルチェシデ》」に、今日、国を売った極悪人とされている「親日派《チンイルパ》」という言葉がなかったのか、たずねたい。

もし、「日帝時代《イルチェシデ》」と呼ばれる日本統治が、それほど酷いものであったとしたら、どうして「日帝時代」に「親日派」という罵倒語が、韓国人のあいだでひろく使われることが、なかったのだろうか。

大韓民国憲法は、前文で「悠久《ゆうきゅう》の歴史と伝統に輝く我が大韓民国は、三・一運動により建立された大韓民国臨時政府の法統（略）を継承して（略）」と、たからかにうたっている。

この大韓民国臨時政府は、本書のまえがきのなかで触れた、一九一九年の三・一独立運動のあとで上海でつくられ、最後は中国の重慶にあったが、世界のどの国からも承認されることが、なかった。

後に大韓民国が独立して、アメリカが初代大統領として擁立した李承晩《イスンマン》が、一時期、臨時政府の〝初代大統領〟をつとめて、やめたことがあったが、内輪揉《うちわも》めによる混乱が続いた。

朴正熙大統領

朴槿恵大統領

臨時政府は〝政府〟ではなく、クラブか、同好会のようなものにすぎなかった。

一九四九年に、アメリカが韓国を独立させて、大韓民国が誕生した時に、憲法前文のなかで、臨時政府の「法統《ポプトン》」を継承しているとうたっているのにかかわらず、臨時政府は大韓民国の成立にあたって、何一つ、役割を果たしていない。

大韓民国は、さまざまな幻想《ファンサン》のうえに、建てられた国だ。

先にまえがきで、韓国とフランスが似ていると指摘したが、オランダ国民も、ナチス・ドイツによる占領に協力した。

アムステルダムの運河沿いの住宅の屋根裏に隠れていた、アンネ・フランクの一家を摘発して、ナチスの強制収容所へ送ったのは、オランダ市民だった。

そのために、オランダでは第二次大戦後に二十年あまり、民宿や、レストランに、「ドイッチェ・バボーデン」（ドイツ人お断わり）の札がかかっていたが、そうすることによって、ほどなく傷が癒されると、「ドイツ人お断わり」という札が、みられなくなった。

ところが、韓国の場合は、日本統治時代が遠ざかるにしたがって、刻々と反日感情が強まってきた。

朴正熙《パクチョンヒ》大統領の長女の朴槿恵《パククネ》大統領は、反日感情に迎合して、日本に対して「千年の恨み《チョンニョン・ウハン》がある」と述べたが、父親はそのようなことを、口が裂けてもいわなかった。

もし、韓国民にとって日本統治が耐えられないほど、酷いものであったとしたら、日本統治が終わった直後に、反日感情がもっとも激しく、その後、時間がたつにしたがって、しだいに癒されたはずである。

それも、日本統治時代を、まったく知らない世代が増えるにしたがって、反日感情が強まってきた。

いったい、どうして韓国はまるで幼児のように、振舞うのだろうか？

独立国としての歴史がない韓国

韓国が長い歴史の果てに、十九世紀末——一八九五年に独立を獲得できたのは、日本によるものだった。

韓国の歴史を振り返ると、朝鮮半島を九〇八年に統一した高麗朝は、一二三二年にモンゴル王朝の元の侵略を蒙って降伏して以後、元に臣従する属国となった。

李氏朝鮮は、高麗朝の武将だった李成桂《イソンゲ》が、クーデターによって、一三九二年に高麗朝を倒して、誕生した。

李氏朝鮮は朝鮮を国号としたから、朝鮮王朝としても知られるが、はじめは明に、明朝が崩壊すると、清朝の中国に臣属することを誓った。

李氏朝鮮は日本が日清戦争に勝った結果として、一八九五年に清国から独立することができた。

李氏朝鮮は五百年以上にわたって、中国の意のままになる属国だった。

日本が日清戦争を戦った目的は、朝鮮を独立させることにあった。

日清講和条約が結ばれると、第一条が「清国ハ朝鮮国ノ完全無欠ナル独立自主ノ国タルコトヲ確認ス。因《もっ》テ右独立自主損害スヘキ朝鮮国ヨリ清国ニ対スル貢献典礼等ハ将来全ク之ヲ廃止スヘシ」と、定めている。

李朝は一八九七年に国号を、「大韓帝国《テハンジェグク》」に改めた。

この時、李朝二十六代の高宗国王が詔勅を発して、「我邦乃三韓之地、而国初受命、統合為一。今定有天下之號日、大韓、末為不可。（略）而朝鮮万箕子舊封之號也、堂堂帝国、無襲舊者矣（後略）」（わが国は三韓の地であり、天命によって〈李朝樹立によって〉一つに統合された。国号を大韓に改めていけないことはない。〈略〉朝鮮は、かつて箕子《きし》が〈注・中国の周の武王によって〉封じられた時の称号であるので、堂々とした帝国がその国名を用いるのは、正しくない）」と、述べている。

箕子《きし》は、今日のピョンヤン（平壌）の近くに、伝説の箕氏朝鮮を建てた王であり、中国古代の周王朝（紀元前一〇五年頃〜二五六年）の初代武王によって、冊封されたといわれる。

ところが、李氏朝鮮は独立国となっても、勢道政治《セドチョンチ》と呼ばれるが、力のある政治家があいかわらず徒党を組んで、熾烈な権力争いに耽ったために、政治が乱脈をきわめ、南下しようと試みるロシアと結ぼうとする親露派と、日本派に分かれて争って、国の体をまったくなさなかった。

「勢道《セド》」は日本語に存在しない言葉だが、朝鮮にとって癒えない持病である、宿痾《しゅくあ》であってきた。

そのために、多くの韓国民が日本との合邦を求めるようになり、大韓帝国は一九一〇年に行われた日韓併合によって、僅か十三年で消滅した。

今日でも日韓併合は、韓国において「韓日併合《ハンイルヘバン》」と呼ばれている。

もし、日韓併合が日本によって一方的に、不法に強要されたのであれば、韓日併合《ハンイルヘバン》と「韓《ハン》」を上につけて、呼ぶはずがないだろう。

日帝残滓は韓国だけに残っている？

韓国は気の毒なことに、独立国としての訓練がほとんど、あるいは、まったくないまま、今日に至っている。

それでも、大韓民国として独立してから七十一年もたっているから、そろそろ独立国として、狭く振る舞っても、よいのではないだろうか。

朝鮮王朝は五世紀にわたって続いたが、支配階級だった両班《ヤンバン》が、一般国民である常民《サンノム》以下の人々に対する、無惨な収奪に明け暮れたのことから、自国の歴史に誇れることがない。

そのために、今日の韓国にとって反日主義《パンイルチュイ》が、愛国心《エグクシム》を支える唯一つの太い柱となっている。

日本として、ロイヤリティをもらいたいところだ。

大韓民国憲法は前文で、「悠久なる歴史と伝統に輝く我が大韓民国は」とうたっているが、歴史が古いことは認めても、いったい、どこに「輝く伝統」があるのだろうか、教えてほしいと思う。

李朝は五百年にわたって、国民に酷い政治を強いた。日本よりも、李朝を恨むべきだろう。

もっとも、私たちに大韓民国憲法を嘲ける資格は、ないはずだ。

日本国憲法が前文があらゆる外国が公正で、平和を愛好しているから、日本の生存を、外国人の善意に委ねると定めているために、日本国民は幼児が妄想にとりつかれているのと、変わりがない。

だが、大韓民国憲法がうたっている「輝く伝統」といえば、韓国人にとって韓服《ハンボク》、チマチョゴリ、韓靴、家屋の美しい曲線を描く屋根《ジイプウン》、日本の琴にあたる加倻琴《カヤグム》、オンドル、キムチから、小さな蛸《たこ》を生きたまま、胡麻油《チャムジルム》にまぶして食べるナッチ、菓子の韓菓《ハングア》まで、身の回りのあらゆるものによって、成り立っている。理解できる心情だ。

韓国を韓国たらしめている、何よりもの輝かしい伝統だ。

文在寅《ムンジェイン》大統領は、ことあるごとに、「日帝残滓《イルチェザンジェ》を清算《チョンサン》する」と、叫んでいる。

日本統治時代の〝残り滓《かす》〟――という、全てという意味だ。

韓国の世論は、日本軍の「慰安婦」と「憲兵」が非人道的で、おぞましかったときめつけている。

それなら、韓国で韓国国軍に「慰安婦《ウィアンプ》」が数十年にわたって存在し、その呼称が用いられていたし、今日でも韓国軍に日本語を韓国語の発音にした、「憲兵《ホンピョン》」が存在しているのは、どういうことなのか。

慰安婦や、憲兵が、それほどおぞましいものだったとしたら、どうして同じ日本語の言葉を使ってきたか、いまでも使っているのだろうか？

このような例をあげてゆけば、数えきれない。

私は自衛隊の退職者の全国組織である、隊友会の役員をつとめているが、韓国の同じ組織である「大韓民国在郷軍人会《テハンミングクジェヒョングンインヘ》」と交流している。在郷軍人会は日本の旧軍の予備役、後備役、退役軍人の組織だった。

日韓関係が悪化した原因の一つになったのが、韓国海軍の駆逐艦が不法に、わが海上自衛隊の哨戒機に、射撃管制レーダーを照射した事件だった。

駆逐艦《クチュクハム》と呼んでいるが、やはり帝国海軍の呼称である。

このほかに、歩兵《ホピョン》、砲兵《ポピョン》、韓国はまだ航空母艦を保有していないが、航空母艦《コンハンモハム》をはじめとして、旧日本軍のおびただしい数にのぼる言葉を、韓国語の発音によって用いている。

わが自衛隊では、歩兵は「普通科」、砲兵は「特科」、駆逐艦、航空母艦も、「護衛艦」と呼ばれている。

いまでは、韓国の国軍《ククグン》にしか、「日帝残滓《イルチェザンジェ》」が存在していない。

今日、韓国語には一万語に近い日本語が、韓国語読みにして、用いられている。学校、学生、入口、出口、改札口、派出所、名刺、自動車、新聞、写真、病院、空港、歴史、個人、人民、民族、社会、会社、運動、思想、哲学、経済、民主主義、共産主義、指導者、独裁者……

と、あげていったら、それだけで一冊の分厚い本を、つくらなければならない。

文大統領の大統領《デトンリョン》も、日本語だ。北朝鮮の国名は、朝鮮民主主義人民共和国《チョソンミンジュジュイインミンゴンファグク》だが、「朝鮮」さえ除けば、あとはすべて日本語である。

まず、大統領の職名を変えることを、すすめたい。

今日の韓国語は、日本語からの借用語によって成り立っており、国語がすっかり「親日派《チンイルパ》」になっている。

その言葉で、「日帝残滓」を語るおかしさに、気がつかないのだろうか。

口をひらいたら、嘘をいう《イプ・インマウン・ヨルミョウン・コジマル》

文在寅《ムンジェイン》政権になってから、八月十五日の光復節《クアンボクチョル》の前日の八月十四日を、「慰安婦《ウィアンプ》を称える日《・キリム・ウィ・ナル》」として、祝日になっている。

二〇一七年五月に、北朝鮮をめぐる核・ミサイル開発危機が募るなかで、韓国で大統領選挙が行われ、文在寅候補が大統領官邸である青瓦台《チョンワデ》入りを果した。

文在寅大統領は選挙戦中から、反日の旗幟を高く掲げた。

前任の朴槿恵《パククネ》政権が、慰安婦問題をめぐって行った日韓合意を、再交渉すると主張していたが、政権が発足すると、日韓合意を反故《ムヒョ》にすると、決定した。

日韓両政府が慰安婦問題をめぐって、二〇一五年に行った合意は、「最終的かつ不可逆的」とうたっていた。反故《ほご》は書き損じの紙を捨てる、という意味だ。

韓国では日常生活のなかでも、言ったばかりなのに、掌《てのひら》を返したように、正反対のことを言うことが、しばしばある。

韓国語で、「口をひらいたら、嘘をいう《イプ・インマウン・ヨルミョウン・コジマル》」という。「トイレに入る時と出た時は、考えが変わる《ファジャンシル・ドゥルオ・ガルテト・ナオルテ・センガクク・ダニョンヒ・ツウルリダ》」という、日本にはない諺《ソクタム》がある。発想を柔軟に変えるのだ。

ソウルの日本大使館と、プサン（釜山）の日本総領事館の前に、在外公館の尊厳を守らなければならないと定めた、国際条約に違反して設置した慰安婦像が、今後、撤去されることはないのだ。

私は、やれやれ、日韓関係は百四十四年前から、まったく変わっていないのだと思って、溜息をついた。

倭館の前の告示文

明治六（一八七四）年のことだ。朝鮮政府が、当時、日本の唯一つの外交公館として釜《プ》山《サン》にあった倭館《ウェガン》の門の前に、日本を「罵詈讒謗《ばりせんぼう》」——たわごとを連ねて罵る、長文の告示文を掲示した。

当時、李氏朝鮮は宗主国の中国を崇めるあまり、ハングル文字を女子供の諺文《オンムン》として蔑視して、支配階級であった両班《ヤンバン》が、まったく使うことがなかった。諺《おん》の彦は音を意味しており、表音文字のことである。

そこで、倭館の前の告示文も、漢文《ハンムン》ばかりで、数千字を連ねたものだった。

内容は、日本の明治の改革を頭から否定して、日本が儒教《ユギョ》の礼《イエ》を踏み躙り、服装を西洋式に変えたことを痛罵し、和船でなければ入港を認めないのに、洋夷を真似て蒸気船を用いることなど、日本が「禽獣以下の国《トンムルマンドモタン》」だときめつけたものだった。

日本の抗議に対して、告示板を撤去することを拒んだ。

明治政府は無法な告示文に激昂し、岩倉具視欧米視察団の留守を預かっていた、西郷隆盛を筆頭とする太政官が、征韓論を唱える切っ掛けとなった。

この告示板の文章は、当時、十五歳で倭館に給仕として働いていた、後に作家となり、樋口一葉（本名・なつ）の恋人として知られるようになった、半井桃水《なからとうすい》が暗くなってから、何回も倭館を抜け出しては、毛筆で書き写した。

今日、この告示文の写しが、外務省外交史料館に保存されている。

金大中大統領

韓国語の「大国」の意味は中国

李朝が自国のもっとも大きな誇りとしていたのが、宗主国の中国を「大中華《デチュンファ》」として崇め、李氏朝鮮が中国をコピーした「小中華《ソチュンファ》」を任じていたことだった。中国が「大」であり、韓国が「小」でだった。

李氏朝鮮は「慕華思想《ムファササン》」を、国是としていた。中国を中心とした華夷秩序のなかで、自分たちが中国の次に位置していることを、誇っていた。

日本は華夷秩序のなかで、蔑むべき「禽獣《トンムル》」の国とされていた。

いまでも韓国語で、中国は「大国《デグク》」と呼ばれている。「デグク」といったら、中国だけを指している。アメリカも、ロシアも、「大国」と呼ばない。

日本は李氏朝鮮にとって、華夷秩序のなかで格落ちした、文化がひらけていない、蔑むべき野蛮な国とされてきた。

だから、日本の天皇が固有名詞であるのにもかかわらず、今日でも韓国の新聞や、テレビが、天皇を「日王《イルウォン》」と呼んでいる。

皇帝といえば、中国にしか存在していないからだ。天皇と呼ぶと、韓国が日本に位負けしてしまう。

もっとも、一九九八年十月に金大中《キムデジュン》大統領が「日本の天皇を日王《イルウォン》と呼ばずに、天皇《チョンファン》と呼ぶ」と公式に発言したものの、守られていない。

慰安婦像は韓国のシンボルになる

文在寅政権は発足すると、二〇一八年八月十四日から、この日を「慰安婦を称える日《ウィアンプキニョンイル》」と定めて休日とし、二〇一九年に「慰安婦被害研究所《ウィアンプヘヨンヨングソ》」、二〇二〇年に「慰安婦博物館《ウィアンプパクムルクァン》」を、あいついで開設することを、発表した。

韓国はアメリカだけではなく、オーストラリア、ヨーロッパなどの世界の諸国に、慰安婦像を設置する活動を、精力的に進めている。

このような非常識で、型紙破りの振る舞いに対して、日本としていったい何ができるだろうか？

過激な対抗措置をとるほか、あるまい。私は韓国民の反省を促すために、ぜひ提案したことがある。

二〇二〇年の東京オリンピック・パラリンピック大会へ向けて、訪日する外国人観光客が、四千万人に達するとみられている。

そこで、外国人観光客の便宜をはかるために、日本の特殊風俗業者が、全国のソープランドや、〝おさわりバー〟や、前川喜平文部科学次官（当時）ご贔屓《ひいき》だった〝援交系クラブ〟などの風俗店の前に、理髪店の赤青白のサインポールのような目印として、韓国が誇る慰安婦像《ウィアンプサン》を小型にした像を設置することを、行ってほしい。

フィリピンや、タイなどの同系列の店にも、日本人観光客はもちろんのこと、欧米の男性観光客のために、同じ像を贈呈してほしい。

そうなれば、韓国が売春婦の国であることが、世界にわたって知られることになる。

韓国が慰安婦像を世界に設置すればするほど、韓国が売春婦である慰安婦を、国家のシンボルとしている、世界の歴史で最初の国であることが知れわたる。

そうなれば、韓国民も顔を赤らめて、慌てて日本大使館前や、世界に設置した慰安婦像を撤去し、慰安婦記念日や、研究所や、博物館を廃止することとなろう。

しかし、風俗店のシンボルとして、店の前に慰安婦像を置くことがなくても、韓国が世界中に慰安婦像を設置するほど、韓国が売春婦を国のシンボルとして崇める国だという悪評が、定着することになるのではないか。

第二章　自ら癒すことのできない「韓国病」

自嘲的な国民性

世界のなかで、韓国人ほど自嘲的な国民はいない。

誰よりも誇り高いのだが、誰よりも強い自嘲心が共存している。

これこそ、韓国民の大きな特色となっている。

韓国民が誇り高いのは、これほど外見を飾ることにこだわる国民は、いないからだ。

そのかたわら、自ら「韓国病《ハングクピョン》」を患っているといってきたが、癒すことがまったくできないでいる。

金泳三《キムヨンサム》大統領と、金大中《キムデジュン》大統領が「韓国病《ハングクピョン》」という言葉をしばしば使って、韓国民が「韓国病」を乗り越えなければならないと、呼び掛けていた。

自虐的といえば、戦後の日本国民の大きな特徴の一つとなっているが、自虐といえば、韓国民のほうが、日本のはるか上をいっている。

韓国人はさまざまな言葉を使って、自国を呼んでいる。

日本にない独特な、陰湿なユーモアがこもっている。

「プペコンファグク」（腐敗共和国）、「プペサファ」（腐敗社会）、「サムソン共和国《コンファグク》」「サムソン社会《サファ》」、「盗棒文化《トンボムンファ》」、「猝富文化《チョルブムンファ》」、「貧富文化《ピンプムンファ》」、「貨幣文化《ファペムンファ》」など、日本が貧しかった時代でも、自国を指して呼ぶことが、まったくなかった言葉が氾濫してきた。

圧迫された者は、暗い笑いによって、抵抗するものだ。ユダヤ人は歴史を通じて、迫害を蒙ってきたが、〝笑いの民族〟といわれてきた。境遇を笑うことによって、自分たちを守った。

「猝」は「にわか」を、意味している。「猝富文化」は、〝にわか成金〟のことだ。

それなのに、韓国人はどの国民よりも、誇りが高い。

アメリカ国務省に勤務して、韓国を担当した後に、有名大学で教鞭をとっている教授が、韓国民は「誇れるものがないのに、誇り高いために、自分を笑うほかないのですよ」と、教えてくれた。

韓国の財閥グループが、それぞれ時の政権と癒着して、経済界を支配する力を持つようになったのは、周知のことだ。

金泳三大統領

アメリカの『ワシントン・ポスト』紙は、韓国の青年たちが、韓国を「ヘル・チョソン」（地獄の朝鮮）と呼んでいると、報じている。

自国を「ヘル」（地獄）と呼ぶことは、民主主義国では考えられない。自嘲を超えている。韓国の病根は深いのだ。

苛酷な入学試験《イプシシーホム》——受験戦争《スヌンチョンジョン》を乗り越えて、せっかく大学を卒業してみても、「ペック」がないと就職できない、という意味だ。

「ペック」はコネのことで、英語の「バック」（背景）が、訛ったものだ。

韓国は韓国人にとって、息苦しい社会なのだ。

二〇一五年に、サムソン・グループが韓国のGDP（国内総生産）の三〇％台を占め、トップの五つの財閥《チエボル》企業の売り上げを合計すると、GDPの五八％、十大財閥企業ではじつに八〇％に当たっていた。

まさに「サムソン共和国」か、「猝富文化」なのだ。

韓国では政治にせよ、経済にせよ、力が一極に集中する。

韓国は李朝が儒教を国教として国民に強いて、笑いを禁じていたから、もともと暗い社会だったのだ。

激しい性格が爆発する

李氏朝鮮時代には、日本の落語に当たるものがなかった。

今日、韓国に日本の漫才に当たるテレビ番組があるが、漫才に当たる言葉がないので、「ゲグ」（英語の「ギャグ」を、誤って発言）と、呼ばれている。

韓国人は性格が激しいことで、知られている。

考えや、行動がコロコロ変わることを、「ピョンドクシマダ」（気分が激しく揺れ動く）というが、性格が激しいからだ。

男たちが酒を呑む時には、「死ぬまで飲もう《マシゴ・チュプチャ》！」と叫んで、杯を高くあげる。

口喧嘩をして、「死ね《チュクオ》！」と声を張り上げると、相手も負けずに、「お前が死ね《ナ・チュクオ》！」といい返す。

私は韓国人が酒を飲む店で、激しい口喧嘩をしている場面を、よく目にした。いったいどうなるのか、心配して窺《うかが》っていると、日本のように、つかみあうとか、殴《なぐ》りあうことがない。

罵りあいが終わると、すぐに仲直りして、抱きあうのだ。

日本人が人前でそういわれて、もし、D社のような大手広告会社の社員だったとしたら、自殺しかねない。

韓国人はしばしば感情を、爆発させる。抑圧された社会に生きているから、鬱憤《うっぷん》をはらすのに役立つ。

日本人は〝和〟の社会だから、つねに自己抑制を働かせるが、韓国人は抑圧をはねのけるために、日頃、内部に溜め込んだ圧力を解き放つために、爆発する。

いまでも酒席で、男たちが「死ぬまで飲もう《マシゴ・チュプチャ》！」とか、「マシゴ・ハムケ・チュプチャ！」（一緒に死ぬまで飲もう！）といって、威勢よく杯を挙げるのも、そのためだ。

私が韓国を頻繁に訪れたころには、ビールをなみなみと注いだコップに、ウイスキーをみたしたワンショット・グラスを沈めて飲むのを、「爆弾酒《ボクダンチュ》」といって、流行《はや》っていた。

ウイスキーをみたしたコップに、ビールを注いだワンショット・グラスを沈めて飲むのを、「原子爆弾酒《ウオンジャボクダンチュ》」と呼ばれていた。

二十年ほど前からは、「爆弾酒」のコップの上をラップで覆ったうえで、カクテルのシェーカーのように振ってから、小さな穴をあけると、ビールで割ったウイスキーが、勢いよく噴きでるのを、「射精酒《サジョンチュ》」と呼んで流行るようになった。

十年ほど前のことだったが、韓国の大企業の役員が来日して、赤坂の韓国クラブに案内された時に、「射精酒」を実演してくれた。

クラブのマダムが、「韓国人はこれを何杯もやって、頭からビショ濡れになるまで飲んで、楽しむのです」と、教えてくれた。

ふだんはおとなしいのに、いったんハンドルを握って、運転すると荒々しくなって、交通法規を守らない者が多い。

「過激運転《ファギョカン・ウンジョン》」と呼ばれるが、「ファギョカン・ウンジョンをやめよう」という公共ＣＭ

が、テレビで流されていたものだった。

もっとも、日本でも「あおり運転」が社会問題になっているから、日本でも同じようなCMを流すべきだろう。

北朝鮮が二〇一六年六月に、中距離弾道弾を発射して、日本の排他的経済水域（EEZ）に落した時に、「標的の七メートル以内に命中した」と、発表した。

その時に、『朝鮮中央テレビ』のニュース番組で、お馴染《なじ》みの中年女性アナウンサーがチマチョゴリを装って、誇り高い声音で「相手の目ん玉をえぐって呑み込む速さ《ヌンカル・パネソ・モグルチョンドロ・パルダ》で、目標に命中した！」と、叫んだ。

NHKテレビに、「素早く標的に命中した」と訳する、字幕がでた。

相手の目の玉をえぐって、呑み込む速さ——日本語に訳しようが、なかったのだろう。

二〇一九年の「光復節」に、文在寅大統領が「南北平和統一を行えば、日本を追い越すことになる」と演説した。

それなのに、北朝鮮はまったく喜ばなかった。

文在寅大統領が、金正恩委員長に対して甘言を連発してきたのに、アメリカには韓米同盟を守るといって、気に入られようとして、蝙蝠《こうもり》のように振る舞っているのに対して、怒っているのだ。

北朝鮮の韓国との交渉を担当する祖国平和統一委員会が、文大統領の演説について、「ゆでた牛の頭《ソテガリ》も空を仰いで、大笑いした」という声明を発表したので、また、私を楽しませてくれた。

そして、文大統領が、「北で猟の銃声がしただけで、大便《トン》を洩らす」と、つけ加えた。

北朝鮮は、韓国、北朝鮮がともに「東海《トンヘ》」と呼ぶ日本海へ向けて、ミサイルを連射したばかりだった。

牛の頭を「ソテガリ」というのは、乱暴語で、丁寧にいえば「ソモリ」という。

私はきっと北朝鮮のほうが、韓国より経済が豊かであるにちがいないと、思った。

韓国では祭祀にあたって、豚の頭を丸ごと茹《ゆ》でて供えるが、牛のほうが豚よりも、高価だ。

北でも牛よりも、豚のほうが、安価なはずだ。

そこで、金正恩《キムジョンウン》委員長が北朝鮮で、ただ一人だけ肥満しており、韓国で「ペクテージ（白豚）」と呼ばれ、北朝鮮においても陰でそう呼ばれているだろうから、「牛の頭《ソテガリ》」にしたのだろうかと、訝《いぶか》った。

北朝鮮は「主体思想《チュチェササン》」を「唯一思想《ユイルササン》」と呼んでいるが、金正恩委員長は「唯一人のデブ《ユイルハン・テージ》」である。

日本でも、「主体思想」という「唯一思想」を崇めている日本人の研究団体が、いくつもある。

韓国人は、すぐに昂奮する。日本人は貧しかった時代でも、自制心を働かせて、貧しくても、ほほ笑みを浮かべていた。

韓国は日本が貧しかった時代より、今日、はるかに豊かになったというのに、歴史を通じて支配階級だった両班《ヤンバン》によって、苛め抜かれたために、今日になっても、精神的なゆとりがないのだ。

李朝社会に根がある「爆発」

韓国民は日韓併合が行われるまで、何世紀にもわたって、乱脈をきわめた酷い政治のもとで、苦しめられてきた。

保身のために嘘をついたり、媚びたり、裏切ったり、策略を盡して、生き抜かなければならなかった。

韓国人が不満や、鬱積《うっせき》を晴らすために爆発するのは、李朝社会に根がある。

「反日《パンイル》」が沸騰点にまで昂じているのも、李朝五百年の枷《かせ》——人の首や、手足にはめて、束縛する刑具——によるものだから、理解しなければならないのだろう。

私たちは隣人なのだから、韓国民の感情の起伏が激しかったり、行動が奇矯なのに、同情しなければならない。隣家の国民の根は、もともと善良な人々なのだ。

李氏朝鮮では、国王が専制主として、生殺与奪の絶対的な権力を握って、高官たちが党派抗争に耽り、日常、収賄、売官が行われた。

政治が苛斂誅求《かれんちゅうきゅう》をきわめ、人民は容赦なく搾取、収奪された。

李人稙《リインジク》（一八六二年～一九一六年）は、李朝末期を体験した、韓国を代表する近代文芸作家だから、韓国民だったら、誰でも知っている。

李人稙は李朝時代の常民の境遇を、つぎの詩によって、描いている。

「賤民は両班《ヤンバン》に鞭打たれ、殺される。

何をされても、不平をいえない。

少しでも値打ちがある物を持っていれば、両班に奪われる。

妻が美しくて両班に奪われても、文句は禁物だ。

無力な賤民は生命すら、両班の気ままに委ねられている。」（『韓国現代史』、新丘文化社、ソウル）

李人稙は新小説の作家、演劇作家として活躍したが、李も今日では「親日派」、「反民族《パンミンジョク》行為者《ヘンウィチャ》」の一人として、憎しみの対象とされている。

李朝時代が、いかに民衆にとって、残酷な社会であったのか、大韓民国が誕生した後の多くの韓国の学者による著述によって、証されている。

日本では、明治三年にはじめて国勢調査が行われた時に、武家は人口の八％に当たったが、韓国では日韓併合時に、両班が全人口の半数以上を占めていた。

今日でも、韓国語には、日本にない「清吏《チョンリ》」（清廉な役人）、「火災《ファジェ》」、「水災《スジェ》」と並んで「官災《クワンジェ》」という言葉がある。

中国では今日でも、「清官《チンクワン》」、「官禍《クワンホ》」、「貧官《ワンクワン》」という。日本では役人が清廉であるのが、当然のことだったので、このような言葉が存在していない。

韓国民のあいだで、裁判について「有銭無罪《ユウジョンムチェ》、無銭有罪《ムジョンユウチェ》」という言葉が使われているが、法律があってもないのは、李氏朝鮮時代に発している。

私はソウルの街角の祈祷所《シンダン》で、「官災除け」のお札《ブジョ》を買って、いまでも持っている。

李氏朝鮮時代には、役人に苛められないように、朝鮮服《ハンボク》の上着《チマ》の袖《ソメ》に入れていたが、今日では財布《チガブ》に入れている。

祈祷所は、巫女家《ムダンチプ》とも呼ばれている。巫女家に案内してくれた友人によれば、巫女によっては、札《ふだ》をソボ（パンツ）のなかに入れると効くとか、ネボ（スボン下）に隠すとよいとすすめてくれると、いった。

「女除妾符《ヨジェチョップ》」という札《プジョ》も、売っていた。女性が恋をする時に、この札を身につけていれば、ライバルを押しのけることができる、ということだった。

李王朝のもとでは、凄惨な権力闘争によって、為政者が頻繁に交替したから、社会が安定することがなかった。

人々は自分と家族と、一族を守るためには、権力に寄り添うか、何よりも自分の利益を大切にせざるを、えなかった。

韓国人の夢は海外へ移住すること

今日の韓国でも、負けたら、再起することができない。二番目では、生き残れない。

韓国の友人が、「この国ではウィンナー・テイクス・オール（勝者がすべてを独占する）といいますよ」と、英語を使って、説明してくれた。

私は外国を訪れるごとに、親が小学生を学校へ送り出す時に、何というか、たずねてきた。

日本では、「みんなと仲良くしてね」という。英語国民だったら、「ビー・ア・グッド・ボーイ」「ビー・ア・グッド・ガール」（よい子にしてね）という。

韓国では、「負けるな《イギョラ》」「一番になれ！《イルテウンイテオラ》」といって励まし、中国では「騙されないよう《プヨペイピエ》に」と戒める、ということだった。

韓国人は権力を崇める。「事大主義《サデチュイ》」として知られるが、「事」という漢字には、日本ではほとんど気づかれないが、「仕える」という意味がある。

住みづらい国なのだ。そこで、韓国人の夢は、富裕層から貧窮者まで、アメリカ、カナダ、オーストラリアの順で、住み慣れた母国を捨てて、海外へ移住することだ。

韓国が豊かになっても、海外に新しい生活を求めて、移住する者が多い。

日本では移民というと、貧しかった時代に限られていた。

私は南太平洋のフィジー島に、講演に招かれたことがあった。

フィジー島は原住民に加えて、イギリスが砂糖黍畑に多くのインド人労働者を連れてきて、酷使したことから、およそ島民の半分を、インド人が占めている。

フィジー島は、韓国から遠く離れているが、多くの韓国人が移住しており、首都スバの通りを通るとハングルの看板が多く、「ここもか」と、驚いた。

北朝鮮でも、ほとんどの人民が脱北《タルブク》することを、望んでいる。

もし、南北両朝鮮の国民が、誰でも自由に海外へ移住することができたとしたら、朝鮮半島は無人地帯になって、野生動物の天国となってしまおう。

不満が鬱積している社会なのだ。「反日《パンイル》」が格好な気晴らしか、憂さ晴らしとなる。海外への移住こそ、鬱《うつ》を払う手段となる。

韓国人は、見栄っぱりの国民だ。外観を飾ることに、こだわる。

韓国では、「テンジャンニョ」（味噌《みそ》娘）という言葉がある。貧しいのにブランド物を誇示して、金持ちの男か、息子と結婚することを夢見る娘たちが、そう呼ばれている。

なぜ、「味噌」かといえば、家にいる時は、安い「テンジャンチゲ」（味噌汁メシ）ばかり食べているために、味噌臭いからだ。

いまでは、味噌はジョンウィジョン（便宜店）と呼ばれるコンビニで買うが、ビニールの袋に密封されている。つい、四十年ほど前までは、醤油とともに、家でつくったもので、臭かった。

もっとも、日本でも社会的地位を示すステータス・シンボルとして、百万円以上もする腕時計をはめたり、一千万円以上もする高級外車に乗って、富を見せびらかす俗物や、数十万円もするブランドのバッグを求める女たちがいる。

そうすることによって、ステータスを認められようとして誇示するのは、自信がなく、不安に駆られているからだ。

日本では、このような男女は、幸いなことに、ごく一部に限られている。

韓国では、「ホーセプリダ」（虚勢《ホーセ》を張る）とか、「ホーヨンプリダ」（虚栄《ホーヨン》を飾る）という。

空ら威張りして、外を飾る。天性になっているのだ。

もっとも、韓国人全員がそうであるわけでは、けっしてない。

韓国人のなかには、日本ではみられないような、高潔な人々も少なくない。

私が親しくした、名門の高麗大学のK総長や、戦前からあった主要な日刊紙の東亜日報のK会長をはじめ、貴人のような人格者が少なくない。人生で、このような優れた人々と出会うことができたのを、感謝している。

結果だけを重んじる韓国社会

二〇一八年にロシアで行われた、ワールド・サッカー世界大会で、韓国代表チームが敗れて、五月にインチョン（仁川）空港に帰国した。

出迎えたサッカーファンが、選手たちに罵声を浴びせて、卵《ケラン》を投げつけた。

韓国チームは二敗したあとで、前回の世界大会の覇者だったドイツに勝ったのだから、誉められるべきだったが、韓国社会は結果だけを重んじる。

日本のように、努力した過程を評価することがない。

私は韓国のファンが、卵をぶつけたことに、強い違和感をいだいた。

日本では食物は大切であって、神聖なものだ。

だから、どのような場面であれ、今日でも食物を投げつけることは、絶対にしない。

韓国も、日本も、長いあいだにわたって、貧しい国であって、しばしば飢饉に見舞われることもあったから、食べ物は尊いものだったはずだ。

それなのに、韓国では卵をぶつけることが、珍しくない。

このこと一つとっても、韓国と日本は隣国だというのに、人々の価値観が大きく異なっていることに、驚かされた。

卵は貧しかった時代には、韓国でも、日本でも、貴重な滋養源だった。

日本では幼い時から、親から食物を粗末にしたら、罰《ばち》が当たるといって、厳しく躾けられた。

私の親しい韓国のO教授が、卵をぶつけることについて、日韓の違いを説明してくれた。

「韓国人はみんな、見栄を張るからです。

卵も貴重なものであったから、自分は卵を投げることができるほど、豊かだということを、見せるためですよ」と、教えてくれた。

卵で一つだけとっても、日韓の文化の違いが、分かるものだ。

血筋と社会的地位に執着する国民

ちなみに、韓国の一人当りのGDP（国内総生産）は、二〇一七年に国際通貨基金（IMF）によれば、日本の三万九千ドルに対して三万一千ドルだったが、韓国では卵一コがほぼ二百ウオン（日本円で三十円）であるのに対して、日本では二十円あまりだ。

韓国のほうが、金利も、物価も高いが、昔から社会が安定していないために、貯蓄する習慣がなく、全員が借金癖に取りつかれている。

吸血鬼のような両班によって、苛め抜かれたというのに、韓国人ほど血筋と、社会的地位に執着する国民は珍しい。

両班が横暴をきわめたのに、虚栄心から、全員が両班に憧れている。

両班が支配した李朝時代の身分制度は、儒教がもたらしたものだった。韓国人はいまだに、儒教の虜《とりこ》となっている。

今日、庶民も、旧正月や、両親の誕生日には親の前で、両手を床下について、平身低頭したうえで、「万寿無窮《マンスムガン》をお祈りします《ハシプショ》」という、祝詞を唱える。まさに、両班社会だ。

私は、儒教が胡散《うさん》臭いものだと、説いてきた。

孔子（紀元前七七〇年〜紀元前四〇三年）は『孝経』で、「身体髪膚受之父母不敢毀傷。

孝之始也」（髪の一本一本から、膚《はだ》にいたるまで、親から貰った体だから、いささかも傷つけてはならない）と説いているが、儒教のなかで、もっとも大切な教えとされている。

だが、孔子が生きた春秋時代には、孔子が出入りした宮廷に、宦官《かんがん》が多くいた。

宦官は、若い男性の生殖器を切除するから、残酷きわまりない。

遠征する軍隊は携帯食料として、食用の人間の群を連れていたし、敵を捕えて食べていた。

孔子が、「仁《じん》」、「義」、「恕《じょ》」（人を許すこと）や、「徳」などを、もっともらしく説いているが、支配階級の人々のあいだだけに、適用されるものだった。

ところが、日本では誰もが他人を大事にして、謙虚であることを、求められてきた。

自己をできるだけ抑えて、互に譲り合わなければならない。

韓国社会は、熾烈な競争社会であるから、和を欠いているために、自分を強く主張して、人を押しのけ、力のある者に諂《へつ》らわなければ、生き残ることができない。

韓国人なら、誰もがそろって認めるように、住みづらい社会なのだ。弱い者は惨めな落伍者に、なってしまう。

嘘と真実のあいだに境がない

嘘をつくのも、自己防衛のために必要だった。

苛酷な李氏朝鮮社会に生きるためには、緊急避難の連続だったから、許されよう。

そうするうちに、嘘と真実が入れ替わったにちがいない。

先の大戦中の慰安婦《ウイアンプ》が、職業的な売春婦だったのが事実なのに、日本軍部によって強制連行された性奴隷《ソンノイエ》だったという嘘を、事実にすりかえてしまっている。

国内外に慰安婦像をつぎつぎと建てて、快哉を叫んでいる。嘘が事実となる、典型的な例だ。

韓国では、嘘と真実のあいだに、境《さかい》がない。

慰安婦は日本語だが、戦後、独立した韓国の国軍は、旧日本軍の将校経験者が中心となったために、日本軍の多くの制度を倣って、国軍に慰安婦が存在していた。

日本語の慰安婦を「ウイアンプ」と、朝鮮語読みにして、引き継いだのだった。

韓国は在韓米軍にも、慰安婦《ウイアンプ》を提供していた。

どうして、慰安婦像を韓国軍の基地や、アメリカ軍基地の前に、設置しないのだろうか？

困ったことに、アメリカをはじめとする多くの諸国において、日本の慰安婦が問題となると、中国、韓国の多年にわたる工作によって、日本が先の大戦中に、無辜《むこ》のアジア女性を拉致して、軍の「性奴隷《セックス・スレイブ》」となるのを強いたと、世界でひろく信じられるようになっている。

日本の歴代の首相が先の大戦をはじめ、日本が行ったことを、安易にしばしば謝罪してきたために、世界で日本が極悪な国だったという見方が、ひろまるようになった。

宮沢喜一首相が一九九二年に訪韓して、当時の韓国政府の発表によれば、日本による韓国統治や、慰安婦について「反省、謝罪」という言葉を用いて、韓国民の許しを乞うた。

日本の官憲が人攫《ひとさら》いのように、女性の意志に抗って拉致して、慰安婦となることを強制したことはありえない。

当時、アメリカでも、ヨーロッパでも、売春は公認されていた。売春婦が合法的に存在していた。

それにもかかわらず、宮沢内閣の河野官房長官が、慰安婦について謝罪する談話を発表した。

日本を代表する――と、信じられている朝日新聞が長年にわたって、日本の官憲が娘たちを拉致して、慰安婦になることを強制したと、報道していた。

村山富市首相も、日本がアジアを侵略したと、きめつけた。日本は自衛戦争を戦ったのでは、なかったのか。

慰安婦であれ、前大戦で日本が侵略を働いたというのであれ、南京事件であれ、事実無根である。民主主義国の政府が、まったく虚偽の事実を公的に認めることは、ありえないことだ。

全世界が事実だと信じ込まされたのも、当然のことだ。

それだけに、河野、村山談話や、朝日新聞が慰安婦について行った、捏造報道の罪は重い。

私たちは、国家の安全を守るのにあたって、日本のいわれない汚名を清《そそ》ぐのを、急がねばならない。

日本が犯罪的な国家であるとしたら、日本が危機にさらされた時に、誰が救援してくれるだろうか？

日本の価値を高めることこそが、日本に力を与えることになる。

韓国軍『慰安婦』制度は性奴隷制度

オバマ政権は、日本政府が河野洋平官房長官による慰安婦について謝罪した談話や、日本が前大戦にあたって、アジアを侵略したという村山首相談話を否定することに、反対していた。

トランプ政権のもとでは、日本政府が河野談話を否定しても、日本を非難することがないだろう。

どの国であっても、軍隊が外地で戦う場合には、将兵が性病にかかることがないように、兵士の性欲の処理にかかわって、管理するものだ。

日本軍も、例外ではなかった。日本軍の場合は、売春宿を経営する業者に、女性を募らせて、慰安所を設けていた。

韓国では、自国にも軍人のための慰安婦が――それも日本語の慰安婦を韓国語読みにして、存在していたことに、目を瞑《つむ》っている。

私は日韓国交樹立の前年に、韓国をはじめて訪れたが、『東亜日報《ドンアイルボ》』などの韓国の大手の新聞に、アメリカ軍のための「慰安婦《ウイアンプ》」を募集する広告を、目にした。

当時、韓国ではまだ漢字を用いていたから、私は紙面で「慰安婦募集」という広告を見て、慰安婦といえば、先の大戦が終わって、日本軍が解体されてから、いなくなったはずなのに、どうして韓国に慰安婦が残っているのか、理解できなかった。

韓国における「慰安婦」について、韓国の学者グループによる研究がある。

二〇一〇年に、『軍隊と性暴力』(現代史料出版)として、日本で訳出されて、出版されている。

韓国にも、良心的な研究者が、けっして少なくないのだ。

同書は「慰安婦」が朝鮮戦争の勃発から、韓国政府と、アメリカ軍を中心とする国連軍がかかわって、管理していたことを、克明に検証している。

この研究書によれば、韓国ではアメリカ兵相手の「慰安婦」を、「洋公主《ヤンゴンジュ》」（外人向けの王女）、「洋《ヤン》ガルボ」（外人向け売春婦）、「国連婦人《ユーエヌマダム》」、「国連夫人《ミセス・ユーエヌ》」と呼んでいたという。

アメリカ軍向けの売春地区は、「基地村《キジチョン》」と呼ばれた。

本書は、「慰安婦の目的は、第一に一般女性を保護するため、第二に韓国政府からアメリカ軍兵士に感謝の意を示すため、第三に兵士の士気を高揚するため」と、述べている。

この研究によれば、韓国軍にも慰安婦が存在していた。

「『慰安婦』として働くことになった女性たちは、『自発的動機』がほとんどなかった。」

「ある日、韓国軍情報機関員たちにより拉致され、一日で韓国軍『慰安婦』へと転落した。」

韓国軍によって、ある日「拉致」されたというのだ。

「国家の立場からみれば、公娼であっても、女性たちの立場からみれば、韓国軍『慰安婦』制度は、あくまでも軍による性奴隷制度であり、女性自身は性奴隷《ソンノーエ》であった」と、断じている。

二〇〇二年に、この韓国軍の「慰安婦《ウィアンプ》」についての研究が発表された直後に、「韓国の国防部資料室にあった、韓国軍『慰安婦』関連資料の閲覧が禁止された。（略）（資料室の室員が）『日本軍「慰安婦」問題でもないのに……』と、言葉を濁らせた」という。

本書は、慰安婦問題に関心がある者にとって、必読の書だ。

私はこの本が日本で出版された時に、ただちに求めて、コラムのなかで紹介したが、韓国政府が工作したのか、すぐに絶版になってしまった。

韓国軍に、ごく最近まで、慰安婦《ウィアンプ》が存在していたのだ。

それも、軍が娘たちを拉致して、慰安婦となることを強制した、というのだ。それにもかかわらず、日本のかつての慰安婦を「強制慰安婦《カンゼウィアンプ》」と呼んでいる。

韓国のほうが、「強制《カンゼ》」——強制連行だったのだ。

それを棚に上げて、日本を非難しているのは、どういうことなのだろうか？

さすがに韓国も、自国で慰安婦がいなくなってから、国をあげて、日本の慰安婦を非難するようになった。

韓国人は一面で、忘れっぽい。「十年たてば、山も川も変わる《シップイミョン・カンサンドピョンハダ》」という、よく使われる諺《ことわざ》がある。

もっとも、「性奴隷」は、日本の反日知識人による造語だ。

煽情的な「セックス・スレイブ」と訳されたために、世界を風靡している。

日本では、八月が巡ってくるたびに、テレビが定番のように、先の大戦と、広島、長崎への原爆投下を回想する番組によって、埋まる。

韓国では、日本軍によって拉致され、虐待されたという慰安婦を取りあげた番組が、きまったように放映される。

二〇一八年には、文在寅《ムンジェイン》大統領と金正淑《キムジョンスク》大統領夫人が、高齢の元慰安婦をたずねて、見舞った。

韓国は、私たちが事実にもとづいていることを書いたり、口にすると、すぐに「妄言《マンウォン》」だときめつける。

だが、韓国こそ、砂上ではなく、妄想《マンサン》のうえにたっている、空想の楼閣のような国である。

韓国民は自嘲的だが、自虐心をあくまでも国内に留めている。

韓国は自国の恥となることを、国外でいうことがない。

ところが、多くの日本人が外へ向かって、自国を悪し様にいっては、快感に浸っている。

ここにも、日韓の違いがある。

第三章　日帝残滓一掃という虚妄

杜撰な「反日」

いったい、韓国はいつになったら、日本に対する依存症《ウイジョンチャン》という病いから立ち直って、自立することができるのだろうか？

「反日」だけが、韓国の愛国心を支えている。

「日帝時代」が、元気の素となっているのでは、心細い。

「反日」は、幼い児が一つのことに熱中すると、そのことだけに没頭するようになるのと、似ている。

だが、「親日派《チンイルパ》」を国をあげて敵視しているのは、世界のなかで、韓国しかない。共産国でも、このようなことはなかったし、いまもない。

二〇一三年のブエノスアイレスのＩＯＣ（国際オリンピック委員会）総会の二日前の九月六日に、韓国政府が東京が主催都市となるのを阻もうとして、福島原発の汚染水を理由にして、日本の八つの県からの海産物の輸入を禁止した。

私はこの発表を読んで、韓国らしいと思って、腹を抱えて笑いたかった。

八つの県のなかに、群馬県と栃木県が入っていた。

韓国はいつも、私を楽しませてくれる。両県は、海に面していない。

韓国が行うあらゆることが、よく考えずに走り出すから、杜撰《ずさん》だ。

韓国の文在寅政権は、「日帝残滓の清算《イルチェ・ジャンジェウィ・チョンサン》」に熱中している。

日帝時代に、日本統治に協力した親日派《チンイルパ》の音楽家が作曲したという、小、中学校や、高等学校の校歌をつくり直すのを強いたり、校庭の日本原産の植木を伐採したり、親日派だったという有名人の墓を破壊したり、自国の歴史の痕跡を消すのに忙しい。

「反日」だけが、愛国心の素《もと》となっているのでは、もし、日本が存在しなかったら、どうするつもりなのだろうか、心配になる。

私は鎌倉市の鶴岡八幡宮のすぐわきで、育った。

ベルリン・オリンピック優勝の韓国選手

一九三六年のベルリン・オリンピック大会では、朝鮮出身の孫基禎《ソンキソン》、南昇龍《ナムスンヨン》が、マラソンでそれぞれ一位、三位に入賞して、二旒の日の丸がマストに翻った。

今日、ベルリンのオリンピック競技場に立っている石碑には、SON KISON, JAPAN（ソン・キソン・ヤパン）と、刻まれている。

孫と南は、鶴岡八幡宮の六十一段ある大石段を使って、トレーニングをした。

孫選手と南選手は石段を昇りきるたびに、神前で拝礼した。私は鶴岡八幡宮を信心しているから、両選手がベルリン大会で金、銅メダルに輝いたのは、きっとご神威によって助けられたと思う。

二〇二〇年の東京大会でも、多くの韓国人選手が金メダルの栄誉に輝くこととなろう。そうしてほしい。

だが、その時に、韓国の国歌である『愛国歌《エグクカ》』が、吹奏されることになるのだろうか？

ベルリン大会で、孫基禎、南昇龍選手が表彰台にあがった時に、安益泰《アンイクテ》が朝鮮人の仲間とともに立ち上って観客席で、安が作曲した、後に今日の韓国国歌『愛国歌《エグクカ》』となった曲である『コレア（朝鮮）』を、合唱したというのが、大韓民国の重要な愛国神話となってきた。

だが、この曲が国歌となったのは、大韓民国が誕生してからのことだから、もし観客席で立ち上がって、歌ったのだったとしても、〝ご当地ソング〟のようなものだったろう。

韓国国歌は日帝残滓か？

韓国国歌の『愛国歌《エグクカ》』のメロディは荘重で、美しい。

韓国民だったら、不世出の作曲家だった安益泰を、大いに誇るべきだ。

私は韓国人と酒を飲むと、韓国の友人とともに、朴正熙《パクチョンヒ》政権後もしばらく、〝第二の国歌〟に当たった、『わが祖国《ナエ・チョゴク》』を歌うことがある。

朴大統領が作曲した曲といわれ、日本人であっても、歌詞と勇ましい旋律が、精神を奮い立たせる。

朴大統領は軍人になるまで、小学校の教員だった。

満州国軍軍官学校に熱誠志願して入校し、日本の陸軍士官学校に、短期留学したうえで、満軍の将校となった。教員時代から、ピアノを弾いた。

安益泰は、今日の国立《くにたち》音楽大学である東京高等音楽学校で学び、一九三六年にウィーンに渡って、リヒャルト・シュトラウスの唯一人のアジア人の弟子となった。

シュトラウス（没一九四九年）は、ドイツの交響音楽、歌劇、歌曲などの作曲家の巨匠、指揮者として知られる。

安はそのあいだに、幻想曲『コレア』（「コリア」をドイツ語で発音）を、作曲した。

安たちがベルリン大会で、歌ったとされている曲だ。今日の韓国で、美談となっている。

だが、いったい、どのような歌詞だったのだろうか？

国歌『愛国歌』の歌詞は、やはり「親日派」として、足蹴にされている尹致昊《ユンチホ》が、書いている。

東京高等音楽学校の日本人の同窓生が、安が日本を「第二の母国」と呼んで、深く愛していたと回想している。

安は、ドイツ（当時、オーストリアはヒトラーによって、ドイツに併合されていた）に滞留中、一九四二年の満州国建国十周年に当たって、ベルリンにあった満州国大使館から祝典歌を依頼されて、『満州国建国讃歌』を作曲している。

ベルリン交響楽団が、この曲を初演している。

私は何人かの満州からの引き揚げ者から、今日の韓国国歌のメロディが、満州国建国讃歌と変わらないので懐かしいと、教えられた。

私は『コレア』も、『満州国建国讃歌』も、聴いたことがない。おそらくメロディが、よく似ているのではないか。

私は韓国国歌を聴くたびに、満州国を称えた韓国人がいたと思って、嬉しい。

安も、「親日派」として、糾弾されている。

安は戦後、大韓民国が独立してから、『コレア』が国歌として採用されたが、日本時代に日本を讃美する曲を多く作曲したかどで、「親日派《チンイルパ》」として、国外へ追われた。

一九六五年に、地中海の異郷のマヨルカ島で、客死している。

ところが、その後、安は『愛国歌』の作曲者として称えられ、一九七七年に「国民英《クンミンヨン》雄《ウン》」として、遺骨がマヨルカ島から、ソウルの国立墓地に移されて、埋葬された。

それなのにもかかわらず、その一年後の二〇〇八年に、愛国団体の民族問題研究所が刊行した、『親日人名事典《チンイルインミョンサジョン》』（全三巻）によって、憎むべき「売国奴《メグクノム》」として掲載されて、指弾されている。

韓国は精神が分裂して、統合失調症を患っている。

第一章で、三・一独立運動のあとで、中国で設立された「大韓民国臨時政府」に触れたが、臨時政府が〝国歌〟として、スコットランドの民謡の『オルド・ラング・ザイン』（日本で「蛍の光」として知られる）のメロディを借りて、今日の国歌となっている『愛国歌』の歌詞によって、歌った。

この歌詞は、李朝末期の政治家だった尹致昊《ユンチホ》が書いた詩である。尹は「日帝時代」に日本とアメリカに留学して帰国し、教育家として活躍したが、戦後、「親日派」として追及されて、自殺している。

今日の韓国国歌の曲も、歌詞も、「親日派」によるものだ。

日韓併合時代の多くの有名な韓国人が、「売国奴」として糾弾されているが、数多くの優れた人々が、日本統治に進んで協力したのだったから、日本統治時代がそうするのに価した、よいところが多かったのでないだろうか。

二〇二〇年の東京オリンピックでは、新しい韓国国歌が吹奏されることに、なるのだろうか。

そうするのであれば、早く作曲してくれなければ、自衛隊中央音楽隊が練習する時間がなくなってしまう。

それとも、蔑《さげす》むべき「親日派《チンイルパ》」がつくった国歌に、大極旗――国旗とかわらない敬意を払い続けなければ、ならないのだろうか。

もちろん、韓国政府が新しい国歌を定めるのは自由だが、親日派がつくった韓国国歌に、これまで深い敬意を払ってきた――払わされてきた国民に、何といって弁明したらよいのだろうか？

六千キロの鉄道も漢江大橋も破壊するのだろうか？

どうして、大韓民国が生まれてから、「親日派」が政府、軍、警察などを担ってきたのを、長いあいだにわたって、当然のように受け入れていたのに、最近になって「親日派」狩りや、校歌から、樹木まで、「日帝残滓」を除去することに、血道をあげているのだろうか？

「日帝残滓」を一掃なさるのは御自由だが、日本原産の樹木を伐り倒すのならば、「日帝時代」に建てられた、ソウル中央駅や、韓国銀行本店、漢江にかかる大橋、敷設された鉄道など、すべて破壊しなければならない。

日本が日露戦争中に、百キロの鉄道路線を敷設したが、「日帝残滓」づくりが終わるまでに、六千キロまで延ばした。

文大統領や、まだ、韓国社会に跋扈《ばっこ》しているとされる「親日派《チンイルパ》」に対して、「吐き気《トハルコット》がする《カッタ》」といっている曹国《チョグク》法務長官（当時）は、「日帝時代」に敷かれた、レールや、橋の上を走る電車に乗ると体調を崩して、吐くのではないか、心配だ。

曹国氏

曹国法務長官は、さまざまな不正疑惑のために、連日、全国で罷免を要求する市民による大規模な集会が催されて、任命されてから、僅か三十六日後に、辞任に追い込まれた。日本は台湾、朝鮮を統治すると、欧米の植民地諸国と違って、富を奪うことなく、日本の国税を注ぎ込んで、社会・経済水準を、内地並みにたかめる努力を行った。

この結果、朝鮮では人口が九百六十万人から、二・六倍の二千五百万人に増加し、平均寿命は二十四歳から、日本と同じ四十八歳にのび、小学校だけとっても百校もなかったのが、五千二百校をこえた。

この結果、識字率は四％しかない、文盲の国であったのが、六十一％まであがった。

高等学校、師範学校は、合わせて一千校以上になった。

多くの日本人教員、技師が、台湾、朝鮮に渡って、台湾、朝鮮の人々に真心を尽して、宝石のような尊い成果をあげた。

文大統領が、「日帝残滓を清算《チョンサン》する」といって力《りき》み返っているが、清算はそれにまつわる過去のものを全《すべ》て取り除く、という意味だ。

だが、韓国は杜撰《ずさん》で可愛らしいから、中途半端に終わるはずだ。

小学校もハングル使用も廃止か？

日本は欧米諸国のように、植民地から富を収奪することが、まったくなかった。

日本は台湾、朝鮮、第一次大戦後に委任統治領となった南洋諸島に、日本本土から資金を惜しげなく注ぎ込んだ。

今日、韓国では「日帝時代」に、日本が韓国において収奪を働いたと非難するが、韓国民が日本の富を毟《むし》り取っていたのが、事実だった。

韓国では、漢字が中国でつくられたものであるにもかかわらず、漢字を用いたほとんどの近代的な言葉のもとが、日本語だからといって、漢字をいっさい廃止して、ハングルのみ用いるようになっている。

そして、李氏朝鮮の第四代目国王の世宗《セジョン》大王（一三九七年～一四五〇年）が、一四四三年につくった表音文字であるハングルが、世界に独特なものであると誇って、ナショナリズムの旗じるしとしている。

ハングルは、日本の仮名《かな》文字と同じ音標文字だが、李朝時代を通じて誇りにすることも、大切にすることも、まったくなかった。

ハングルは、女子供の諺文《オンモン》として蔑まれて、男性が使うことがなかった。諺文はハングルの旧称である。

両班は、宗主国である中国を崇めるあまり、漢字しか使わなかった。

それに、庶民は日本と違って、ほとんど全員が、文盲だった。

そのハングルを韓国の歴史ではじめて、韓国民にひろく教えたのは、日本の朝鮮総督府だった。

日本は韓国全土に、小学教育を普及させた。当時、韓国につくられた小学校は、「普通《ボトン》学校《ハッキョ》」と呼ばれていた。

私は総督府が発行した、普通学校一年から四年までの『普通学校朝鮮語読本』を、ソウルの骨董屋《コルトンプンチョム》で買って、持っていた。国会図書館に問い合わせたところ、所蔵していない

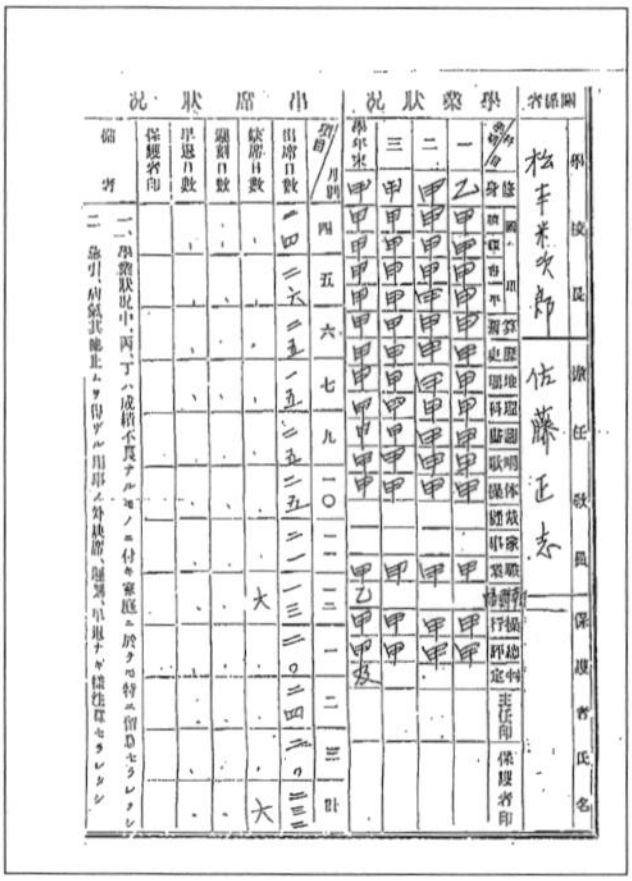

K氏より送られた通信簿のコピー

『普通学校朝鮮語読本』

というので、寄贈したことがあった。

韓国の骨董屋で、この教科書を求めたことを、新聞の随想欄に寄稿したところ、横浜市に住む読者のK氏から、手紙をもらった。

父親が朝鮮全羅南道《チョンラナムド》の水邑に勤務していたので、昭和十（一九三五）年から、そこにあった小学校で、朝鮮人の子供たちと一緒に、この教科書を使ってハングルを学ばされたといって、通信簿のコピーを送ってくれた。

修身、読、綴、書、平、算数、歴史、地理、理科、図画、唱歌、体操、職業、朝鮮語、操行、総計の各欄があったが、朝鮮語を除いて、すべて甲だったのに、朝鮮語だけが乙《おつ》だった。

当時の学校の成績は、上から甲乙丙《こうおつへい》によって、評価された。

K氏は手紙のなかで、「日本の教育が朝鮮語の抹殺であったとの主張は、あきらかな誤りです」と、述べていた。

今日、韓国の学校教育では、日本が日本統治時代に朝鮮語とハングルを禁じて、朝鮮語を抹殺しようとしたというのは、嘘である。

「日帝時代」の教育によって、四%しかなかった識字率が、大幅にたかまった。

K氏によれば、日本人の女子生徒にも、鮮裁（朝鮮服の裁縫）が、教えられていた。

そうなると、今日、韓国でハングルを教えているのも、「日帝残滓」であるから、李朝

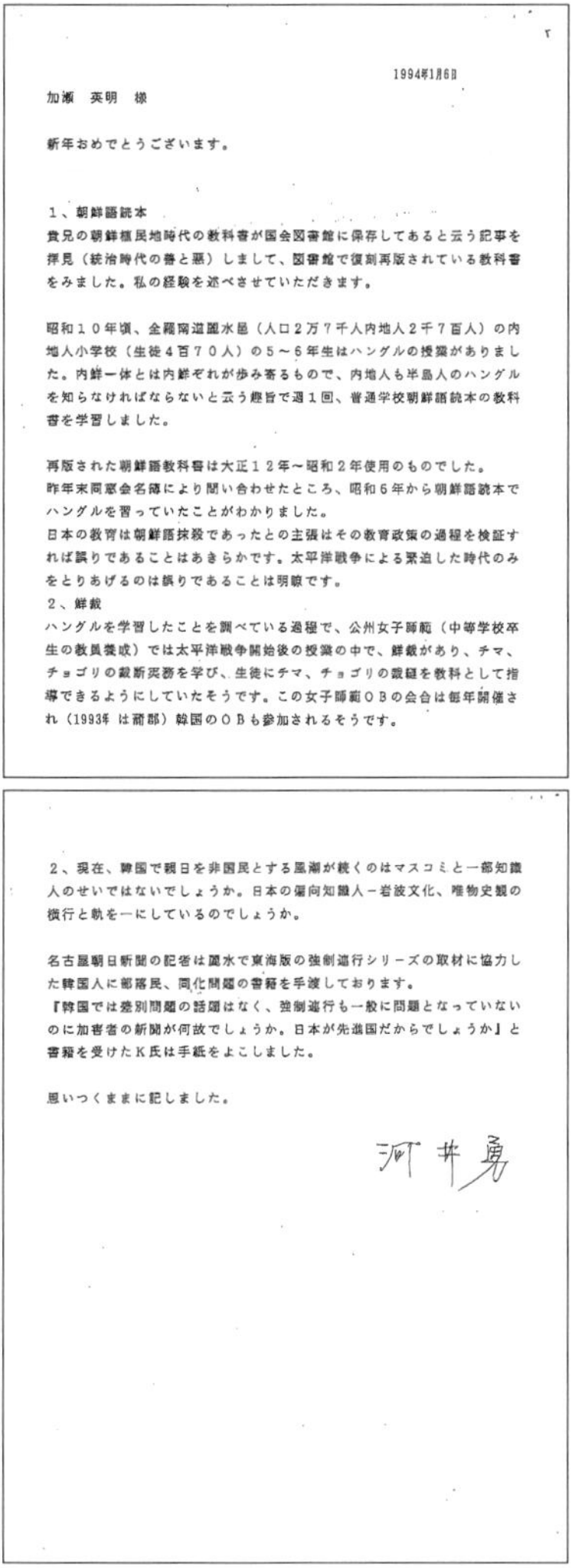

1994年1月6日

加瀬　英明　様

新年おめでとうございます。

1、朝鮮語読本
貴兄の朝鮮植民地時代の教科書が国会図書館に保存してあると云う記事を拝見（統治時代の善と悪）しまして、図書館で復刻再版されている教科書をみました。私の経験を述べさせていただきます。

昭和１０年頃、全羅南道麗水邑（人口２万７千人内地人２千７百人）の内地人小学校（生徒４百７０人）の５～６年生はハングルの授業がありました。内鮮一体とは内鮮ぞれが歩み寄るもので、内地人も半島人のハングルを知らなければならないと云う趣旨で週１回、普通学校朝鮮語読本の教科書を学習しました。

再版された朝鮮語教科書は大正１２年～昭和２年使用のものでした。
昨年末同窓会名簿により問い合わせたところ、昭和６年から朝鮮語読本でハングルを習っていたことがわかりました。
日本の教育は朝鮮語抹殺であったとの主張はその教育政策の過程を検証すれば誤りであることはあきらかです。太平洋戦争による緊迫した時代のみをとりあげるのは誤りであることは明瞭です。
2、鮮裁
ハングルを学習したことを調べている過程で、公州女子師範（中等学校卒生の教員養成）では太平洋戦争開始後の授業の中で、鮮裁があり、チマ、チョゴリの裁断実務を学び、生徒にチマ、チョゴリの裁縫を教科として指導できるようにしていたそうです。この女子師範ＯＢの会合は毎年開催され（1993年 は前郡）韓国のＯＢも参加されるそうです。

2、現在、韓国で親日を非国民とする風潮が続くのはマスコミと一部知識人のせいではないでしょうか。日本の偏向知識人－岩波文化、唯物史観の横行と軌を一にしているのでしょうか。

名古屋朝日新聞の記者は麗水で東海版の強制連行シリーズの取材に協力した韓国人に部落民、同化問題の書籍を手渡しております。
『韓国では差別問題の話題はなく、強制連行も一般に問題となっていないのに加害者の新聞が何故でしょうか。日本が先進国だからでしょうか』と書籍を受けたＫ氏は手紙をよこしました。

思いつくままに記しました。

河井勇

K氏からの手紙

時代に戻って、ハングルを恥じて、漢字だけを教えることに、なるのだろうか。

今日、漢字を廃止して、ハングルだけを使うことができるのは、「日帝」の恩恵ではないのか。

また、別の読者が、この教科書を日本語に訳して、送ってくれた。その一部を、本書のあとがきのなかで、紹介したい。

前政権の事蹟を全否定

李成桂が高麗王朝を倒して、李王朝を建てると、高麗朝の国教だった仏教《プルギョ》を禁じて、儒《ユ》教《ギョ》を国教とした。

仏僧は全員が、最下級の賤人《チョンイン》の身分に落された。

そのために、日韓併合が行われるまで、仏寺は仏僧とともに、みな、山奥に逃げ込んでいた。

李氏朝鮮の身分制度は、上にたつ両班《ヤンバン》が、傲慢、無慈悲に振る舞い、中人《チュイン》、常民《サンミン》、賤人が続いた。中人は下級の役人として、高級官僚の両班の下働きをつとめた。賤人のなかに奴婢《ヌビ》――奴隷がいて、売買された。

「日帝《イルチェ》」が日韓併合後に、仏教を復活するまでは、仏寺が平地に一つもなかった。

今日でも、韓国で骨董屋を覗くと、五体満足な古い仏像が、まったくない。李朝のもとで、仏像が徹底的に壊されたからだった。

韓国の歴史では、王朝が交替するたびに、その前の王朝の事蹟を、すべて否定することが、繰り返されてきた。

儒教の厳しい教えだけが、唯一つの生活を律する規則とされて、他の教えや、信仰は、すべて異端とみなされて、排斥された。

今日、朝鮮民主主義人民共和国――北朝鮮では、「主体思想《チュチェササン》」と呼ばれているが、金日成、金正日、金正恩三代にわたる独裁体制を讃美して、支えることが、「唯一思想《ユイルササン》」と呼ばれている。李朝時代と同じことである。

韓国の歴史は、中国の歴史のように、権力を握った者が、自分に都合のよいように歴史を書き改めてきた。そのために、歴史が粘土細工のようにつくりかえられ、一貫性がない。

日本統治時代を、すべて否定するのも、習癖だと考えれば、分かりやすい。

「日帝残滓」を、真剣になって「清算」するのならば、李朝時代に戻って、仏教を禁じるべきだ。

韓国で、二〇〇五年に行われた国勢調査によれば、仏教徒がもっとも多く、キリスト新教《キドキヨ》、カトリックの天主教《チヨンジユキヨ》が続いたが、二〇一五年にはキリスト新教、仏教、カトリック教の順番となっている。

日本の朝鮮統治が、今日の大韓民国の発展の基礎をつくったのが、客観的な事実である。

日本からの巨額にのぼる、持ち出しによるものだった。

だからといって、私は韓国民に恩を着せようとは思わないし、そうするべきではない。

日本人の天性なのだ。

韓国は「反日」を、愛国心の唯一つの柱としているが、日本なしに愛国心が成り立たないから、日本にいまだに背負《おんぶ》している。

もう大きな成人《おとな》となったのだから、日本の背中から、降りてほしいものだ。

結局は、日本に対する〝甘え〟なのだ。といって、甘えん坊だから可愛いといっていられない。

韓国も、世界十二位の経済国家となったから、酸《す》いも甘いも嚙み分けた、おとなの国になってほしい。

いったい、韓国とどのように交際したら、よいものだろうか？

どうしたら、健全な両国関係を結ぶことができるだろうか。

日韓関係が暗礁に乗り上げてしまったのに、日本は責任がないのだろうか？

韓国が反日を国是として、日韓関係を大きく歪めて、両国の国益を大きく損ねるようになったのは、日本が招いた災いだといえる。

日本の歴代の内閣が、韓国に毅然たる態度をもって接するべきところを、韓国を甘やかすことによって、今日の災いの原因をつくってきたといってよい。

三木武夫内閣が、売春婦でしかない慰安婦に補償する基金をつくったのをはじめ、宮沢内閣の河野洋平官房長官が慰安婦について、謝罪する誤った談話を発表し、村山富市首相が卑屈な態度をとってきた。

そうすることによって、韓国の日本に対する甘えを増長させて、韓国が自立することを妨げてきた。

私は小渕恵三首相と親しかったが、小渕首相も韓国に対して謝罪談話を行っている。

日本人にとって、心にもないのに、安易に詫びるのは、和を重んじる習慣から発しているものの、韓国に対する思い遣りがないことだった。

良識ある韓国人は、文在寅《ムンジェイン》大統領の「在寅」――「ジェイン」と、「災難」――「ジェアン」の発音が似ていることから、「文災難《ムンジェアン》」と、呼んでいる。

日本が、卑屈な態度をとってきたことが、文在寅大統領を育てたといっても、よいだろう。

鳩山由紀夫首相も、菅直人首相も、韓国の日本への甘えの別名である反日感情を、強めるのを手助けした。恥しいことに、外交がどうあるべきかということについても、韓国の国民性についても、まったく勉強していなかった。

私は鳩山由紀夫氏を家族的な友人としているから、批判したくないが、私情を殺していえば、鳩山、菅両首相は日本国民にとって、河野官房長官と並ぶ、「ジュアン」――災難だった。

二〇一〇（平成二十二）年に、菅首相が日韓併合条約発効百年にあたって、首相談話を発表した。

「日韓併合条約が締結され、以後三十六年に及ぶ植民地支配が始まりました。

三・一独立運動などの激しい抵抗にも示された通り、政治的・軍事的背景の下、当時の韓国の人々は、その意に反して行われた植民地支配によって、国と文化を奪われ、民族の誇りを深く傷つけられました。

私は歴史に対して誠実に向き合いたいと思います。歴史の事実を直視する勇気と、それを受け止める謙虚さを持ち、自らの過ちを省みることに、率直でありたいと思います。痛みを与えた側は忘れやすく、与えられた側は、それを容易に忘れることはできないものです。

この植民地支配がもたらした多大の損害と苦痛に対し、ここに改めて痛切な反省と、心からのお詫びの気持ちを表明いたします。」

菅首相は、韓国政府が反日感情を煽って、燃えさかっているのに、油を注いだ。

このような談話は、韓国民のためにならないものだった。

私は日韓併合時代を体験した、多くの韓国人の知己《ちき》をえたが、日本時代は社会全体が規律正しく、朝鮮人の役人も含めて、清廉で、賄賂をとることがなかったと、誰もが口を揃えて懐かしがっていた。

菅内閣の仙谷由人官房長官も、まったくの外交音痴だった。

仙谷官房長官は、都内の外国特派員協会において行った記者会見で、日韓併合時代に遡って、韓国人の個人請求権を認めるべきだと、発言した。

これまで日本政府は、一九六五（昭和四十）年に締結された日韓基本条約によって、韓国が個人補償の権利を放棄したことから、国際法にもとづいて、いっさい応じられないという立場を、貫いてきた。

韓国も日韓基本条約によって決着がついていたから、それを認めてきた。

仙谷官房長官は「法律的に正当性があるといっても、それだけで済まない」と述べて、政府として新たに個人補償を検討する考えを、示した。

いったい、仙谷氏は韓国の代弁人なのか、疑わなければならなかった。

李明博大統領

何と、愚かなことだろうか。もし、このような前例をつくって、日韓基本条約をすべて否定してしまったら、諸外国との間で決着した請求権についても、火がつくことになりかねなかった。

日本は日韓基本条約によって、三十六年にわたって、同じ日本であった韓国を思いやって、この年の韓国の国家予算の二倍に当たった、一千二百六十億円もの巨額を、無償供与した。

さらに、七百二十億円を長期低金利借款として、提供した。

そのうえ、日本は韓国内にあった当時の貨幣価値で、一兆円にのぼる日本の資産の請求権を放棄した。

もちろん、これは賠償金ではなかった。日本は韓国と戦って、敗れたのではなかった。あの年の韓国の国家予算と同額といえば、巨額だ。韓国はそれによって、「漢江の奇蹟」と世界から称えられた、経済発展を実現することができた。

民主党政権の三代目の野田佳彦首相も、韓国に対して、ふしだらな娘に寛容を装う、締りがない親父《おやじ》を、演じた。

野田首相は二〇一二年に、ウラジオストクのアジア太平洋経済協力会議首脳会談に出席した時に、李明博大統領と隣席となると、李大統領に満面笑みを浮べながら、手を差し出して、握手を求めた。

野田首相は、松下政経塾の卒塾生だ。私は松下政経塾の役員を長くつとめたが、塾の教育にどこか欠陥が、あったのだろうか。

この年に、李大統領は竹島に不法に上陸したうえに、「天皇が訪韓して、跪《ひざまず》いて謝罪すべきだ」という、天皇陛下を侮辱する暴言を、吐いたばかりのところだった。

戦後の日本は、武を否定してしまったために、手を揉みながら薄笑いする、商人の国となってしまったのだろうか。

日本に対して狼藉を働いた相手に、日本の首相から握手を求めては、けっしてならなかった。

先方から手を差し出したのであれば、硬い表情を崩すことなく、不承無承受けるべきだった。

李明博大統領が、二〇一一年に来日して、野田首相と日韓首脳会談が行われた。

李大統領は野田首相に対して、訪日する直前にソウルの日本大使館の前に、慰安婦像が設置されたことを取りあげて、「日本が旧慰安婦に対して補償しなければ、韓国内に第二、第三の慰安婦記念碑が建つこととなろう」といって、恫喝した。

私だったら、「そんなに慰安婦がおぞましいものだったら、どうして韓国の国軍に同じ日本語の慰安婦という言葉を使って、韓国語の発音で呼ばれる、気の毒な女性たちがいたのでしょうか？」と、たずねただろう。

そして、日本大使館前に設置した慰安婦像を、直ちに撤去することを要求したうえで、「それがお出来になれなければ、国内に一千、二千、三千の慰安婦像をお建てになればよい。そうすれば、韓国が売春婦の国として、世界に有名になることでしょう」といって、たしなめるか、高笑いするべきだった。

このような例をあげてゆくと、枚挙にいとまがないから、このあたりでやめよう。

村山、鳩山由紀夫、菅氏の歴代首相、河野洋平氏、作家の大江健三郎氏をはじめとする日本人が、「良心的日本人《ヤンシムチョギ・イルボンサラム》」と呼ばれて、韓国で歓迎されている。

韓国の「反日《パンイル》」は、これらの人々や、朝日新聞をはじめとする、日本のマスコミによって、つくられたものだ。

日本は韓国を救う責任がある

日本統治時代の台湾や、朝鮮を訪れた、欧米のジャーナリストたちは、筆を揃えたように、日本統治を高く評価している。

外国人による客観的な証言を集めれば、何十巻にものぼる本を、つくることができる。

グレゴリー・ヘンダーソンは、アメリカの外交官で、一九五〇年代からソウルに勤務した。

一九六〇年代末に刊行された、著書『韓国・渦巻きの政治』（ハーバード大学出版局）のなかで、つぎのように述べている。

「韓国人は日本統治を受け入れ、その末期でさえも、反日、あるいは独立運動にかかわった者は、人口の僅か五％しかなかった。（略）

第二次大戦中に、日本の士官学校を卒業した、韓国人将校の約半数が戦死したが、一人として、日本軍から脱走した者はいなかった。

全員が日本人として高い誇りをいだいていた」

「渦巻きの政治」というのは、韓国ではすべて権力が渦巻いて、一つのところに集中するという意味である。

前章で述べたように、「ウィンナー・テイクス・オール」――勝者がすべて独り占めする社会なのだ。

何万人という朝鮮出身の将兵が、日本の軍人として戦って、戦死している。

戦争末期には、朝鮮出身の多くの青年が特攻隊員として志願して、日本と日本の一部であった朝鮮のために、生命を捧げた。

それを思うと、私たちに韓国を援け、韓国を混迷から救う責任がある。

第四章　衰退する韓国を救えるか？

いつまで続く反日政策

韓国はこのままゆけば、混乱のあまり近代国家から落伍してしまおう。韓国は日本にとって、もっとも親しい関係を結ぶべき隣国だから、韓国が衰退したら、日本の利益にならない。

いったい、私たちは韓国をどうすれば、救うことができるだろうか？

日本にとって、いうまでもないことだが、韓国が健全な国家となって、良好な関係を結ぶことが望ましい。

日本は明治に入って開国すると、日本のすぐわきに、疲弊しきった朝鮮が、清帝国の属国としてあることは、大きな脅威だった。

明治維新が成就してから、まだ三十年あまりしかたっていなかった日本が、日清戦争を戦った最大の理由は、李氏朝鮮を中国による支配から独立させて、近代国家につくりかえ、日本と清帝国のあいだの緩衝地帯とすることだった。

大韓民国は第二次大戦後に、朝鮮半島が分断された結果として生まれたが、今日まで日本の安全にとって、緩衝地帯となってきた。

ところが、文在寅政権のもとで、韓国が大きく揺れている。

このままゆくと、韓国が日米韓同盟関係から離脱するのではないか。東京も、ワシントンも、その可能性を否定することができないでいる。

これでは、日本にとって、韓国が百三十年前の李氏朝鮮と変わっていないことに、なってしまう。

いったい、いつまで韓国が過激な反日政策を続けるか、予想できない。ここしばらくは、変わらないだろう。

したがって、今日の韓国をあるがままに、受け容れるほかあるまい。

経済、安全保障、文化について、できるかぎり互恵的な関係を結ぶほかないだろう。

アメリカに、キリスト教プロテスタント（新教）の一派である、「アーミッシュ」の共同体がある。

電気も、電話も、自動車も、いっさいの機械を使用することだけでなく、聖書以外の読書、讃美歌以外の音楽を禁じている。敬虔な愛すべき人々だ。

イスラエルに「オーソドックス・ジュー」と呼ばれる、ユダヤ教の厳格な戒律を頑なに守っている人々がいる。

オーソドックス・ジューは、聖書が肌に刃を当てることを禁じているから、髭を剃らない。

男たちは自分よりも、高いものがあることを、つねに自覚するために、小さなキパと呼ばれる、丸い帽子を頭にのせている。

シャバット（安息日）として定められた、金曜日の日没から土曜日の日没まで、エレベーター、自家用車であれ、バス、電車であれ、乗り物にいっさい乗らない。

このあいだ、火を点じることが、許されない。台所や、暖房のための火は、安息日が始まる前からつけておく。信仰心が篤い人々だ。

私はイスラエルで、オーソドックス・ジューの家族に、安息日の晩餐に招かれたことがあったが、タバコが喫えないのに閉口した。喫煙は許されても、火をつけることができないのだ。

アーミッシュ教徒や、オーソドックス・ジューに、生きかたを変えるように、求めるものだろうか？

ここしばらくは、韓国人も生きかたを変えることがないと思うほか、ないのだろうか。だが、韓国人は自ら「韓国病《ハングクピョン》」を患っているというが、アーミッシュも、オーソドックス・ジューも信仰を重んじており、自分たちの生きかたが、病んでいるためだとは、思っていない。

韓国人と、アーミッシュ、オーソドックス・ジューを、同列に置いてはならない。

「韓国病」の病根はどこにあるのか？

いったい、韓国人がいう「韓国病」の病根は、どこにあるのだろうか？

韓国人は、同情すべき歴史を持っているために、「韓国病」の根は深い。

だが、いったい、李朝が韓国民に対する最大の加害者だったのだろうか？　あるいは、韓国民は加害者であるとともに、被害者でもあるのだろうか？

いや、そのようなことはない。

韓国は長いあいだにわたって、中華帝国の属国だった。

韓国の不幸は何といっても、中国と地続きだったことだ。

中国は周辺の地域を支配して、中国を頂点とする中華秩序に諸国を属国として、組み込んでいた。

もっとも、ベトナムも中国と地続きで、中国の漢王朝によって一千年にわたって支配されたが、頑強に抵抗を続けて、西暦九三八年に独立している。

そのために、ベトナムは独自の民族性を、保つことができた。

だが、朝鮮の李王朝は進んで中国の属国となって、自国を中国の完全なコピーである「小中華《ソチュンファ》」だと称して、誇った。

中華秩序のもとで、中華帝国に服《まつ》ろわない国や、地域は、夷狄《いてき》——野蛮な民とみられ、李氏朝鮮は「小中華」として、日本を蔑《さげす》んだ。朝鮮の下に、日本があったのだ。日本は聖徳太子の時代から、中国に臣従することを拒んで、中国に独立国として接してきた。

歴代の中華帝国のシンボルといえば、龍である。

中国はイギリスに、阿片戦争（一八四〇年〜四二年）を戦って、敗れるまでは、中国の皇帝が全世界の支配者であることを前提にしていたから、国ではなかった。

明や、清にとって、対等な外国があるはずがなかった。そのために、王朝の名があっても、国の名を必要としなかった。そこで、国の名が存在していなかった。

ところが、清朝が阿片戦争に敗れて、講和条約である南京条約が、揚子江に浮ぶイギリスの戦艦の艦上で結ばれた時に、国名が必要となった。

そこで、はじめて「清国」と称した。それとともに、はじめて国旗を定めたが、黄色の地に龍——五本の爪がある龍——をあしらったので、黄龍旗と呼ばれた。

中華秩序のもとでは、中国の龍に五本の爪があるのに対して、朝鮮、ベトナムなどの属国の龍には、四本の爪しか許されなかった。

たかが、爪、想像上の動物である龍の爪と、考えてはならない。

　日本は中華文明が及ばない、化外《けがい》――真っ当な文化が及ばない、野蛮な国だとされたから、さらに一本足りない三本の爪しか、認められなかった。

　中国の貿易船が室町時代に、日本から注文を受けた龍の絵や、彫刻を運んでくると、すべて三本の爪しかなかった。

　日本の絵師や、彫刻師による龍は、江戸時代に至るまで、龍の爪が三本だと信じて、三本しか爪がない龍を彫り、描き続けた。

　日本国民は龍の爪が、中華秩序のなかで重大な意味を持っていることに、気がつかなかった。

　ところが、韓国人にとって龍の爪の数は、自尊心にかかわる重大事であってきた。

　しばらく前に、私は京都の龍安寺で歌舞伎役者の市川團十郎氏を囲む会に招かれて、日本文化について講演したことがあった。

　寺の好意によって、有名な枯山水の石庭を、ライトアップしてくれた。

　回廊から光のなかに浮びあがる幻想的な庭を観賞したが、庭に面して国宝となっている龍の襖絵《ふすまえ》があった。

　爪を数えると、やはり三本しかなかった。

　私は講話を、襖絵の龍の爪の数に触れることによって、はじめた。

「日本の龍が、幸いに三本の爪しか持っていなかったために、日本に独自の円熟した文化が開花して、歌舞伎が生まれました」と、述べた。

龍安寺は室町時代の十五世紀に、創建された禅寺である。

桃山時代の代表的な画家である、長谷川等伯の『日蓮聖人像』は有名だが、背後に三本の爪を持つ龍が描かれている。葛飾北斎《かつしかほくさい》の龍の版画も、爪が三本しかない。

日本人は華夷秩序の外に生きてきたから、気づかなかったが、韓国人は日本の龍の爪が一本足りないことを、誇ってきた。

私は四十年ほど前に、ソウルで日本語が流暢な閣僚と、酒席で和気藹藹《わきあいあい》と話していたところ、私の発言に驚いたのか、突然、声を張りあげて、「龍の爪が一本足りない国から来て、何を仰言《おっしゃ》るのですか！」と、いわれた。

はじめ、私はいったい何のことか、分からなかった。

閣僚が私が龍の爪について、無知なことに気づいて、笑いながら説明してくれたので、蒙をひらかれた。

ソウルの金浦《キンポ》空港の特別室の天井に、龍の絵が描かれていたが、爪が四本もあった。あるいは、四本しかなかった、というべきだろうか。

北京の歴代の皇帝が住んだ故宮を訪れると、本殿前の大きな白い階段や、いろいろなところに龍の彫刻があるが、すべて五本の爪がある。

韓国は華夷秩序にしたがって、目下にみていた日本に、いつの間にか追い越されたのが、誇りを傷つける。

半分が反日で半分が親日

韓国語には、もとは中国語だが、日本語にない「羨憎《ソンチュム》」という言葉がある。

中国語では「羨憎」を、「シンチェン」と発音するが、中国人も、韓国人も歴史を通じて、日本を長いあいだ見下してきたのに、日本が目覚しく発展しているのが羨ましく、羨ましさがあまりあまって、憎しみとなっている。

胸のなかに、日本に対する憧れと、妬みが共存しているのだ。

韓国人が自ら認めるように、ほとんどの韓国民の頭脳の半分が反日で、半分が親日である。

韓国は、李氏朝鮮時代を通じて、「慕華思想《モファササン》」といって、中国をひたすら崇めていた。

この三十年あまり、韓国にとって、中国の経済力と軍事力が急速に発展したために、中国が再び眩しくみえるようになっている。

韓国民は中国が強大になるにつれて、李氏朝鮮時代に先祖返りしつつあるのだろう。

韓国では「事大主義《サデチュイ》」というが、力のある国や、人に仕えるという意味だ。「事」という漢字を漢和辞典で調べると、「仕える」という意味がある。

今日でも、韓国は自国を主軸に置くことが、できないでいる。

困ったことに、独り歩きする訓練が足りないのだ。

大韓民国は独立国として、何か背骨を支えるものが、必要だ。

「反日」が手っ取り早い、背骨にかわるものとなっている。

もっとも、日本もアメリカ占領軍によって強要された日本国憲法のもとで、戦後七十年以上にわたって、アメリカに国家の安全と生存を委ねて、背骨であるべき独立心を失っているから、大きなことはいえない。

「韓国病」は毒性の強い「中国病」の別名

中国人は弱肉強食の社会に生きるなかで、血が繋っている一族が、社会に対して結束する必要があった。

そのために、今日でも、家族と一族の結束が固い。そのかわりに、公共精神を欠いている。

韓国人も、家族の結びつきが固い。韓国を知るうちに、羨ましいと思う。

日本では家族や一族と、血が繋がっていない他人を、区別することがない。

だが、韓国は中国と同じ、弱肉強食の社会であってきた。一族の結束を優先してきたために、国が一つにまとまることがなかった。

韓国では、いまだに地域間の反目が、激しい。とくに全羅道と済州島に対する、差別が強い。

韓国には、日本神話が一つしかないのと較べて、朝鮮北部の檀君《タンクン》神話をはじめ、高句麗《コクリョ》、百済《ペクチュ》、新羅《シルラ》、伽那《カヤ》それぞれに、その国がどのようにして産まれたのか、異なった始祖神話が存在している。

檀君神話は、天帝である桓因《ファニン》の子の桓雄《ファヌン》が地上に天降って、雌熊《クンニョ》と結婚して生まれた檀君が、檀君朝鮮として知られる古朝鮮を建国して、王となったものだ。

ところが、高句麗、百済、新羅と伽那の神話は、物語が大きく違っているものの、すべて卵から生まれたという、卵生神話である。

天帝の子の桓雄が天降ったというのは、日本神話に似ているが、卵から生まれたという四つの国の神話は、なぜなのか、日本神話と共通するところがない。

日本のように一億二千万人もの国民が、同質だと信じている国は、世界に他にない。

中国社会が儒教を生み、儒教が中国社会をつくってきた。

儒教は、「孝」といって、家族と一族を何よりも優先することにもとづいており、公《おおやけ》の概念が欠けている。

私は海外で日本文化について、英語で講演する時には、中国、韓国の儒教の「孝」を「ファミリー」、日本の「忠」を「パブリック」と訳することにしている。

日本では公《おおやけ》である「忠」を、一族を優先する「孝」よりも、上に置いてきた。そのために、国が一つにまとまってきた。

韓国の悲劇は、中国文化という毒性の強い甕《かめ》に、どっぷりと漬かってしまったことだ。中国が韓国の国民性の雛型を、つくってしまった。そのために、「韓国病」は「中国病」の別名なのだ。

人に譬《たと》えれば、少年か、青年期に受けた教育によって、鋳型にはめられてしまうと、改めるのが困難だ。

ヨーロッパに、「ロシアの隣国となるほど、不幸なことはない」という、諺《ことわざ》がある。韓国も中国の隣国となった不運によって、見舞われてきた。

日韓併合は植民地化ではない

中国の『魏志東夷伝』は、よく知られている。

三国時代の一国だった魏《ぎ》（二二〇年～二六五年）によって、西暦の紀元がはじまったころから、三世紀なかばにわたって、東夷の地理、制度、風俗などを記している。

古代の満洲にあった扶余《ふよ》から、高句麗、倭（のちの日本）まで、多くの国々の状況について、記録している。

高句麗は朝鮮古代の国で、満州から朝鮮北部までわたって、支配していた。

『魏志東夷伝』はそのなかで、高句麗の民が「礼に富み、寛大、廉潔で、自尊心、快活に溢れている」と、称賛している。

朝鮮半島では、新羅、百済、高句麗による三国時代が続いたが、七世紀に入ると、新羅が唐と結んで、高句麗を六六〇年に、六六八年に百済を滅ぼして、半島を統一した。

新羅は進んで唐の属国となって、唐の諸制度を採り入れて、国民の名前から服装まで、唐風に改めた。

それまで三国の姓が、漢字を二文字を用いて書かれた二字姓だったのを、上から創氏《ソンシ》改名《ケミヨン》を強制して、中国の一字姓に変え、今日に至っている。

韓国は「日帝時代」に、日本名に改めるように「創氏改名」を強制されたとか、朝鮮語を禁止して、ハングルを抹殺しようとしたと宣伝しているが、まったくの嘘である。

李王家は、日本の皇室のなかに王家として迎えられたが、もちろん、日本名に改めることを求められなかった。日本軍の朝鮮出身の将官や、高級将校の多くが、朝鮮名を名乗り続けた。

戦前、東京江東区から、朴春琴衆議院議員が、朝鮮名のまま二期にわたって当選しているが、改名していない。

イギリスの国名は、「ユナイテッド・キングドム・オブ・ブリテン」――「ブリテン連合王国」である。

今日でも、サッカーや、ラグビーや、クリケットでは、チームが、イングランド、スコットランド、ウェールズ、アイルランドに分かれているが、四つの王国が一つに併合して、このなかでイングランドがもっとも力を持っていたので、イングランド王が国王となった。

日韓併合も、二つの君主国が合併したのであって、ブリテン連合王国とまったく同じことだった。

日本でも、李氏朝鮮を植民地としたと誤って信じいる者が多いが、日韓併合は日本と大韓帝国が一つの国となったのであって、企業にたとえれば、二つの会社が合併したようなものだった。

イギリスがインドを、フランスがベトナム、オランダがインドネシア、ベルギーがアフリカのコンゴ、ポルトガルがアフリカのアンゴラなどを植民地として支配していたが、インド人はイギリス国民でなかったし、他の植民地についても、同じことだった。

ヨーロッパ諸国や、アメリカは植民地を支配したが、併合したのではない。

イギリス王室は、インドや、アジア、アフリカの王族を王室の一員として、迎えることがなかった。

韓国人も、台湾人も、みな同じ日本国民だった。

韓国人、台湾人将校のもとで、日本兵が戦ったが、インド人将校のもとでイギリス兵、インドネシア人将校の下でオランダ兵が、フィリピン人指揮官の下で、アメリカ兵が戦うことは考えられなかった。

ヨーロッパ諸国や、アメリカによる植民地支配は、人種差別に基いていた。日本は歴史を通じて人種差別を行ったことが、なかった。

新羅は九世紀に入ると国内が乱れ、かわって高麗が九三六年に半島を統一した。

高麗朝は中国からの独立の度合を強めて、十四世紀末まで続いたが、党派抗争《タンパハンジョン》と反乱が絶えず、十三世紀にモンゴル人の元の侵略を蒙った。

高麗はその武将だった、李成桂《イソンゲ》によって倒されて滅ぼされた。この時に、中国の王朝が元から、明朝に代わっていた。

李成桂は李朝を創建すると、進んで明に臣属した。「朝鮮」という国名も、明に選んでもらったものだった。

高句麗は七世紀まで独立を保っていたが、、高句麗人と日本人は性情があまり変わらなかっただろうと、思われる。

ところが、朝鮮半島は中国からしばしば侵略を蒙ったために、中国に臣従することを強いられるか、あるいは臣従することを求めるうちに、中国の力に依存する王朝によって、中国のすべてを崇めるようになった。

日本人と韓国人はよく似ている

朴正熙《パクチョンヒ》大統領は一九六一年に五十三歳だったが、陸軍少将として部隊を率いてクーデターを敢行することによって、政権を奪って、大統領官邸である青瓦台《チョンワデ》の主人となった。「日帝時代」に大邱《テグ》師範学校を卒業したうえで、公立学校教員となり、二十五歳で満州国軍官学校に志願して入校した。日本の陸軍士官学校に、短期入校している。

朴青年は、日本人の心と眼をもって、物事を見て、判断していたはずである。

朴正熙大統領は、真面目《まじめ》な思索家だった。

在職中に韓国人論を書いているが、的《まと》を射ており、一読に価する。

朴大統領は韓国人について、つぎのように述べている。

「外国人は、韓国人はすべて悲しみ、哀傷、悲劇を好むという。

わが国の民謡をみても、ほとんどが哀調を帯びており、その悲しみは強い反抗として爆発するものではなく、『なるようになれ』『仕方がない』といった、消極的な諦念に堕している。

西欧の悲劇は、力強く逞しく運命的なものと争いながら悲壮に倒れていくというもので、そこには否定を否定して克服しようとする力動的緊張がある。

ところがわが国の悲しみ、哀愁は、実は悲劇ではなく、憐《あわ》れであり、諦めの反芻《はんすう》である。それは『忍従』よりも劣る奴隷的な『屈従』の固まりとでもいおうか。

したがって逞しく立ち向っていこうとする西欧的悲劇意識が韓国にはなく、軟弱な涙と安っぽい同情があるだけである。

こうした弱々しい同情をもってしては民族性の中に力強い人生の勇気や逞しい開拓精神を生み出すことはできない。

わが国の代表的な歌をあげ、消極的諦念が固執化した一端を探ってみよう。代表的な『アリラン』の歌詞を検討してみると、『わたしを捨てていく人は十里もいかずに足を病む』

これは自分を捨てていく人を慕いながらも『あなたは私を置いてどこへ行くの？』と強

く立ちふさがることができず、もしかして4キロぐらい行って運よく足でも痛めて戻ってきてくれたら、という憐れな心情が含まれている」

朴正熙大統領が、「わが国の民謡をみても、ほとんどが哀調を帯びており……仕方がないといった消極的な諦念に堕している。…憐れであり、諦めの反芻《はんすう》である」と述べているが、「わが国の民謡」を、「日本の演歌」に置き換えたら、そのまま演歌にうたわれている日本人論となる。

日本人と、韓国人はよく似ている。無力感と、自己憐憫《じこれんびん》の心情が共通している。

韓国の民謡《ミンヤン》も、日本の演歌も、自己否定をしているから、私たちの心を揺さぶる。

ところが、中国人は、韓国人や日本人と違って逞しい。中国人は、明るい歌を好む。

私だけではなく、韓国に魅せられてしまった友人が多い。

故人になったが、産経新聞の柴田穂論説委員や、徳間書店出版部長だった萩原実氏が、そうだった。

韓国人はいったん友人になると、日本人と同じように人情に篤く、義理堅く、ひとなつっこい。

韓国人も、中国人よりも日本人のほうが、心情を分かちあえるという。

中国人は酒に酔ったとしても、酔っていないふりをする。中国人にとって、人前で自らを失うほど、恥しいことはない。体面を大きく傷つける。

それに対して、日本人と韓国人の酒に対する態度が、共通している。酒を飲みかわす場では、自分を失ったほうが、心を通じることができると思って、酔っていなくても、酔ったふりをする。酔って乱れたとしても、楽しかったといって、許される。かりに泥酔したとしても、恥しいことではない。

日本の敗戦により李氏朝鮮時代に戻ってしまった

多くの韓国民が、三十六年にわたった韓日併合によって、「中国病」を振り切ることができた。

ところが、日本が先の大戦に敗れて、日韓併合時代が終わったために、再び李氏朝鮮時代へ戻るようになっている。

私が親しくしている韓国のジャーナリストは、「韓国がこのようになったのは、何が悪いのかといえば、日本があの戦争を戦ってはならなかったのに、負けてしまったことですよ」と、指摘している。

もし、日本が先の大戦の局外に立って、あと三、四十年、日韓が一つの国であり続けたとしたら、韓国人が「中国病」と決別することが、できたのではないか。

韓国が近代世界の独立国となるためには、何よりも宿痾《しゅくあ》である「中国病」を癒さなければならない。

韓国の歴代の国王は、中国によって册封《さくほう》——任命される——世襲による地方長官のようなものだった。中国の皇帝の部下にすぎなかった。

李氏朝鮮は異状きわまる国家であったが、ひたすら中国を模倣し、仕えることによって、生き伸びた。

韓国の国王は、皇帝のみに許される「陛下《ペーハ》」という尊称を用いることができなかったために、「国王殿下《ククウォンチョンハ》」と呼ばれた。

皇太子である「太子」も、中国のみに許される敬称だったから、「世子《セジャ》」と呼ばれた。

韓国は中国に追従《ついしょう》するあまり、儒教《ユギョ》から科挙まで中国を模倣して、「小中華《ソチュンファ》」と自称して、悦に浸るようになった。

科挙は、中国の官吏採用試験制度であり、清時代まで続いた。科挙の成果が一生の運命を決めた。

今日でも、韓国が過激な学歴崇拝社会となっており、若者にとって〝ペーパーテスト〟にすぎない大学受験が、生きるか死ぬかの大事《おおごと》とされている。

韓国で受験戦争が激しいのは、李朝時代を通じて続いた科挙試験制度の後遺症であって、苛酷なまでの学歴尊重社会となっている。

日本は中国から漢字などを学んだが、宦官も、纏足も、科挙制度も取り入れることがなかった。

漢字も、かなを造って混ぜることによって、日本化して、消化した。

韓国人は中国人に対して、屈折した感情をいだいている。

中国人と韓国人は、違うのだ。

韓国人は中国人が不潔だといって、昔から「テンノム」（垢野郎）と呼んで、軽蔑してきた。

今日でも、韓国人全員が「テンノム」といったら、中国人に対する蔑称だということを、知っている。

だが、中国経済が日本を上回って、国力が大きく増すようになってから、中国人に対して「テンノム」ということが、なくなっている。

韓国は中国から、科挙《ファゴ》や、宦官《ネイン》制度を学んだ。李朝の王宮に宦官が、日韓併合まで存在していた。

それなのに、纏足《てんそく》を真似なかった。纏足は中国の上流社会の習慣で、女児が四、五歳になると、足と指に長い布をきつく巻いて、足が大きくならないようにした。

私たちにとって、纏足の写真を見ると、痛々しくて、目を背けたくなる。ところが、中国では女性の纏足した奇形の足が、美しいといわれた。美的感覚が、まったく違うのだ。

近年、日本では何でも国際交流がよいことだとされ、多文化を尊重しようというが、纏足のようなおぞましい文化もある。多文化も、よりけりだ。

韓国では中華料理が、日本のように国民生活のなかに、溶け込んでいない。

韓国でも「中華料理《チュンファヨリ》」というものの、韓国人の味覚にあうように、辛くしたジャジャンメンや、長崎チャンポンを唐辛子の粉によって、真赤に辛くした〝チャンポン〟（と呼ばれる）が、なじまれている。

韓国を訪れて、「中華料理」を味わった中国人は、「あれは、中華料理とまったく違うので、そう呼べません」という。

韓国人は、何といっても世界で、もっとも礼儀正しい。

今日でも、若者は父親や、目上の者の前で、タバコをすわない。

年長者に対して、敬意を払う。このような美風は、日本人も見習うべきだ。

韓国人や、私たちからみると、中国人は自己本位であるうえに、行儀が悪い。

中国人は日常、いくらでも嘘をつく。畏友の宮崎正弘氏が、「中国人は息を吐くたびに、嘘をつく」と述べているが、嘘が呼吸と同じ、生きる術となっている。

中国の儒教は美辞を並べて、支配階級が人民を支配するためのハウツウ――統治思想であってきた。中国人の二面性が、よく表われている。

ところが、儒教が日本に伝わると、日本人の精神のフィルターによって濾過されて、有益な精神修養哲学につくりかえられて、今日に至っている。

韓国は、中国の儒教をそのまま取り入れたために、猛毒によって冒された。

『論語』には、孔子の言葉として、「身内の不祥事を、外に洩してはならない」という、日本人ならば目を剥《む》く教えがある。

『論語』には、ある村の息子が孔子に父親が羊を盗んだと訴えた話が、のっている。

その訴えを聞いた孔子は怒って、「このバカ者！　身内の不祥事を、外にいってはならない」と、叱りつけている。

日本は〝和の社会〟であるから、心は人々に配るものとされているが、中国、韓国では心を配るのは、家族と一族のあいだに限られている。

心にかわって、言葉が主役の座についている。

韓国では、朝鮮王朝を通じて、儒教の取るに足りない字句の些細な解釈をめぐって、国王を取り巻く両班《ヤンバン》が党派を組んで、生命の遣《や》り取りを繰り返した。

言葉を主役としては、けつしてなるまい。

言葉はもっぱら自己主張と、弁解に使われるものだ。

自己を正当化し、私利を優先させる中国

日本では古代から、「言挙《ことあ》げ」——言葉を多用することを、固く戒めてきた。言葉と現実は、二つの大きく異っているものだ。言葉は、和を壊す危険な道具だ。

日本で歴史を通じて信仰されてきた神道では、言葉に「言霊《ことだま》」と呼ぶ霊力が籠っていると信じられてきた。そのために、よい言葉を発することが、求められてきた。

中国、韓国では、言葉を組み合わせて成り立っている論理が、万能だった。言葉によって、贋物の論理をつくって振りまわして、相手を負かしてきた。

日本では言葉を乱用することを嫌って、美しいか、快くないか、物事のよし悪しを、感性というと、心によってはかってきた。

心は分かち合えるが、論理はかならず対立を招く。

日本社会の〝和〟は、理屈を嫌って、斥けるうえに成り立っている。

私は漢字に対して、深い不信感をいだいてきた。

漢字は、アルファベットや、かなのような、民衆によってつくられた字ではない。

秦の始皇帝が紀元前二二一年に、はじめて中国を統一した時に、皇帝の命令を全土に伝

えるために、それまで各地で異なっていた字を統一して定めた、上意下達のための政治文字である。

かなや、アルファベットの表音文字は、民衆が自分たちの考えを表すために、つくった字であるから、権威主義と無縁である。

中国には『論語』をはじめとして、道徳を説いた、万巻の書物がある。

道徳と倫理について、万巻の書が編まれてきたというのにもかかわらず、中国人ほど、自己を正当化して、私利を優先させて、つねに自分勝手に振る舞う国民はいない。

日本の〝和〟が自然に培われて、日本人の行動を律してきたのに対して、儒教は民を操るために、上から強いる教えだから、身につかない。

韓国が自浄作用を働かせるためには、辛いことだろうが、おぞましい中国文化を手本として、無法な社会をつくった自国の歴史と、向き合わなければならない。

第五章　反日と親日のはざま

韓国大統領の反日と親日

文在寅大統領は、大韓民国の十二代目の大統領に当たる。

大韓民国は誕生してから、まだ七十一年しかたっていない。

そのあいだに、初代の李承晩《イスンマン》大統領、二代目の尹潽善《ユンボソン》大統領、三代目の朴正熙大統領、四代目の崔圭夏《チェギュハ》大統領と、九代目の盧武鉉《ノムヒョン》大統領の五人を除けば、六人の大統領が退職してから、在職中に不正蓄財を働いたかどで、本人か、息子か、兄弟が投獄されてきた。

僅か七十一年間のうちに、十一人の大統領のなかで六人というのは、何とも異常なことだ。

尹潽善大統領、崔圭夏大統領の二人は、無力な中継ぎの存在でしかなかった。

朴正熙大統領は、珍しく清廉だった。財産を残さなかったといわれるが、暗殺されてしまった。

李承晩大統領も、盧武鉉大統領も、巨額の不正蓄財を行っていたから、十一人のうち八人というべきだ。

どうして、韓国民は大韓民国を誇ることが、できるのだろうか？

韓国語で、紙コップなどの〝使い捨て〟のものを、「イルヘイヨン」（一回限り）というが、大統領もそうなのだろう。

まさに、韓国病《ハングクピョン》ではないか。「反日」を手軽な清涼飲料がわりに、使ってほしくない。使い捨ての紙のコップが、威厳をつくろって振る舞っているのでは、ハンス・アンデルセンの童話の『裸の王様』のようではないか。

文在寅大統領も、どのような末期を迎えることになるか、分からない。いつものように、使い捨てられるのだろうか。

李承晩大統領（一八七五年～一九六五年）は、不正選挙や、言論弾圧、学生による抗議デモを鎮圧する時に、大量の死者がでたのに対して、全国で学生が立ち上がったのに追われて、南アメリカのチリ出身のフランチェスカ夫人を連れて、生命《いのち》からがら、ハワイへ亡命した。

盧武鉉大統領

そのあとを、尹潽善《ユンボソン》大統領が継いだ。十ヶ月後の朴正煕陸軍少将によるクーデターのあとで、十一ヶ月留任したが、一九六三年に行われた大統領選挙で、朴正煕候補に敗れた。
朴正煕大統領によったクーデターは、「軍事革命《グンサヨクミョン》」と呼ばれて、正当化された。

全斗煥大統領と筆者

朴大統領は、一九七三年に大統領官邸である青瓦台《チョンワデ》の宴会場の酒席で、警備室長によって射殺された。

朴正熙大統領が、今日の韓国の経済発展を、もたらした。

あの時の韓国は朝鮮戦争によって、全国が破壊された直後だった。

朴大統領の英断によって、一九六五年に日韓基本条約が結ばれて、日本との国交を樹立して、日本から巨額の援助が提供されたことによって、「漢江の奇蹟」を実現することができた。

もし、あの時に、韓国が今日のような「反日《パンイル》」を国家政策としていたら、今日の韓国が存在していなかった。

それなのに、朴正熙大統領は今日の政権によって「親日派《チンイルパ》」として、白眼視されている。

いったい、あの時に日本の他に、どの国が韓国が立ち上がるのを、援けたというのだろうか？

崔圭夏《チェギュハ》大統領が、朴正熙大統領のあとを継いだが、「飾り物」にすぎないといって、「ホスアビ（案山子）」と、あだ名された。

金泳三大統領と筆者

　崔圭夏大統領は就任してから一年後に、陸軍参謀総長を逮捕して、軍の実力者となった全斗煥《チョンドファン》陸軍中将が、権力を奪った。

盧武鉉《ノムヒョン》大統領は、退任直後に、夫人ぐるみの収賄疑惑によって追い詰められて、プサン（釜山）の自宅の裏山にのぼって、投身自殺を遂げた。

無惨な最期だった。崖から突き落とされて、殺されたという噂もある。

文在寅大統領は、盧武鉉大統領の側近として、秘書室長をつとめた。

金泳三《キムヨンサム》大統領と金大中《キムデジュン》大統領は、退職後に逮捕されることがなかったが、金泳三大統領の長男は父親の在任中に、巨額の賄賂《わいろ》を懐ろにしたので、陰で「小統領《ソトンリョン》」と呼ばれていた。

　金大中大統領は、国民から「金大好《キムデホ》」——〝お金が大好き〟と、あだ名されていた。

　私は、全斗煥大統領、盧泰愚大統領、金泳三大統領、金大中大統領の四人の知遇をえた。

　全斗煥大統領を除けば、盧泰愚、金泳三、金大中大統領は、日本人とまったくかわらない、流暢な日本語を話し、日本語で話すのを楽しんだ。

全斗煥大統領には、退職後、ソウルの自宅に招かれて、李純子《イスンジャ》夫人の手料理を御馳走になった。

その時に、全前大統領が「私はたとえ親日派《チンイルパ》と呼ばれようが、韓日友好関係を強めるために、努力してきました」と、いった。

私は「親日派」という言葉は知っていたが、反日感情が韓国民のあいだで、そこまでひろまっているのかと思って、驚いた。

盧泰愚大統領は、父親が日本時代の面長《ミュンジャン》（村長）で、村でただ一台の蓄音機を持っていたので、自分はあのころの日本の流行歌を、ほとんど歌えると、自慢した。

「どの歌がお好きですか」と質したら、「『湖畔の宿』です。いまでも歌えますよ」といった。

大韓民国では、大統領をはじめとする権力者による不正行為が、年中行事となっているのに、自浄作用がまったく働くことがない。

朴槿恵大統領は、朴正熙大統領の長女で、父親と母親の陸英淑《ユクヨンスク》夫人によって、溺愛されて育った。

陸夫人は「日帝時代」の高等女学校を、卒業している。日本に親近感をいだいて、育ったはずである。

父親の朴大統領が読書家だったから、家に二、三百冊もあったといわれる。

きっと、槿恵氏も日本語の蔵書を読んでいたと思う。

ところが、朴槿恵大統領は就任すると、心ならずも、反日感情に訴えなければならなかった。

朴槿恵大統領は「日本に千年の恨《チョンヨネハン》みがある」と述べたが、韓国は「恨《ハン》の民」なのだ。

韓国では「千年の恨み」とか、「五千年の恨み」というが、「千年」にしてくれたのは、日本に配慮してくれたのだろうか。

日本では憎しみも、恨みも水に流すというが、韓国ではそうはゆかない。

もっとも韓国では、恋愛も「千年の恋《チョンヨネサラン》」ともいうように、大袈裟なのだ。

韓国の友人が、「恨《ハン》は外へ向けたものではありません。過酷な社会のなかで、自分があまりにも不遇で、無力であることから、自分へ向けたものです」と、教えてくれた。日本語の恨みのように、軽いものではない。

恨《ハン》は、先祖代々にわたって伝わる、深い根を降ろしている、振り切ることができない、暗い恨みなのだ。

韓国人は中国人の悪習に染まって、五千年とか、千年という時には、〝長い時間〟という意味なのだ。

韓国が「日本が二十万人の娘を拉致して、性奴隷である慰安婦とした」と、いい張っているが、〝数多くの〟という意味でしかない。

親しい韓国の学者が、客観的な数字ではないことを、認めている。

「だから、そんなに気になさらないで下さい」と、いわれた。

そういわれて、私は返す言葉がなかった。

中国が日本軍によって、南京市民が二十万人とか、三十万人も虐殺されたと主張しているのも、同じことなのだ。

私は〝南京事件〟を研究する専門家による、「南京事件の真実を究明する会」の会長をつとめてきたが、南京大虐殺はまったくの造りごとでしかない。

私利追求の李朝宮廷と質素な歴代天皇

韓国社会は、不満が充満している。そのために、「反日」が都合のよい、ガス抜きの役割を果たしている。

五年前まで、韓国の若者のあいだで自分たちを指して、「七抛世代《チルポセデ》」という言葉が、流行っていた。

就職できないから、恋愛も、結婚も、出産もできない。家も持てない。夢も希望も、人間関係も持てないという、一から七まで、七つの障害をあげたものだ。

七つの夢を捨てなければならない、というのだ。

つい、三、四十年前までは「三抛世代《サンポセデ》」だったのが、「五抛世代《オポセデ》」に増え、「七抛世代《チルポセデ》」になった。いまでは、七つより増えて、「数えられない《ヘアリルスオプダ》」という。

韓国人は中国人とかわらずに、賭博《ドパク》を好む。

食品から衣類まで売っている、広大な市場《シジャン》では、妻たちが忙しく働いているわきで、夫たちが花札《ファット》に耽っている。

結婚披露のパーティに招かれると、うしろのほうで男たちが宴会をよそに、花札に興じている。

韓国人と、中国人が博打《ばくち》を好むのは、社会が安定せず、運を掴むために、刹那に賭けなければならないからだ。

日本では、賭博は下層階級の者に限られているが、韓国では上層階級の人々も、かわらない。

文在寅大統領の過激な反日政策も、結果を考えない、博打のようなものではないか。

多くの韓国人が、日本人のように自分に与えられた場を守って、律儀に働いても、報いられないために、刹那的にならざるをえないのだ。

李朝の宮廷は私益しか、求めなかった。

大韓帝国は、日本のおかげで帝国と称することができたが、日露が戦えば、かならずロシアが勝つと信じて、日本の背後でロシアと結ぼうとした。

あいかわらず、国王も、国政を預かっていた両班たちも、中国人と同じように、自分たち一族が贅に耽ることしか、関心がなかった。

これは、日本の歴代の天皇が、私益を求めることなく、全員が質素だったのと、大きく異なっている。

朝鮮の独立を願った日本、韓日併合を求めた韓国

明治の日本は朝鮮が独立国として、盟邦となることを願ったが、日本の期待にこたえなかった。

もっとも、あの時も、今日も、道理を重んじる韓国人は、けっして少なくない。

韓日併合前の韓国のなかには、日本がごく短い期間のうちに、近代化に成功したのに魅せられて、日本から学び、日本と手を結んで、韓国の発展を願った愛国者が少なくなかった。

しかし、中国病を病んでいた、韓国を建て直すことは、至難なことだった。

金弘集《キムホンジプ》は、李氏朝鮮末期の政治家だったが、日本と結ぶことを求めた、門明派の一人

だった。

高宗国王のもとで、首相に当たる領義政《ヨンギチョン》をつとめたが、日本を見習って、近代化を断行しようとした。

身分制度を廃止して、国民の政治参加を求め、罪が一族に及ぶ連座制や、拷問、残酷刑の廃止し、髷《サントウ》を切る断髪令を下そうとした。

ところが、断髪令が強い反対を招いた。

中国病という毒甕に、どっぷりと浸ってきた韓国にとって、文明開化こそが、西洋の帝国主義の脅威を前にして求められていたのに、受け入れることができなかった。

そのために、高宗が撲殺令《パクサルリョシ》を下して捕縛され、王宮の外に連れ出されて、その場で、怒った民衆によって、撲殺された。

日本で明治三十九年に当たった一八九六年のことだが、あの時の日本社会は安定していた。金弘集は、六十一歳だった。

大韓帝国の宮廷が、あまりにも乱れていたために、やがて韓国民のなかから、韓日併合を求める声が高まった。

日韓併合条約に調印した、李完用《イワンヨン》首相は愛国者だった。

一時は親露派であり、アメリカに擦り寄るなど、反日的な動きをしたものの、韓日併合に当たって、「現在の朝鮮民族の力量をもってすれば、とうてい独立国としての体面を保つことができなかった」と、述べている。

日本しか、この国を救うことができなかったのだ。

李完用は教養人であり、李朝五百年の「三大書家の一人」といわれている。

今日、韓国では李完用は「最悪の売国奴《チェアクウイ・メグクノ》」となっている。

私は韓国の留学生に、「ソウルの西大門《ソデムン》のすぐ外に、独立門《トンリプムン》が建っていますね。いったい、韓国がどこの国から独立したのを祝って、建てられたものですか？」と質問すると、口を揃えて、「日本からです！」という答が、戻ってくる。

そこで、私は「え？　そんな新しいものではありません。一八九五年に建てられたのですよ。日本が日清戦争に勝って、李氏朝鮮を独立させた時に、李朝が大喜びして、建てたものですよ」と、教える。

今日でも、独立門にはハングルで、「トンリプ」（独立）と揮毫された、扁額《へんがく》がかかっている。李完用の筆によるものである。

「李完用先生が書いた額が、まだ、かかっていますよ」というと、学生たちがありえないという表情を浮べて、あっけにとられる。

「李完用先生様《ソンセイニム》」と、先生の敬称をつけて呼ぶことに驚くだけでなく、今日の韓国人にとって許すことができない国賊の書が、いまだに独立門にかかっていることが、信じられないのだ。

今日、独立門は重要文化財として、指定されている。

李完用は苦悩に充ちた生涯を、送った一人である。

大韓帝国は、とうてい国家と呼べなかった。

もし、大韓帝国がまっとうな国となっていたとすれば、日本と多くの韓国民が、韓日併合を求めることがなかった。

伊藤博文公をはじめとして、日本があまりにも貧しい韓国を併合したら、財政の負担に耐えられないと考えて、日韓併合に反対する者が、少なくなかった。

今日の大韓民国は、大韓帝国の国旗であった大極旗《デグクキ》と、同じ国旗を用いている。

今日の大韓民国は、権力者が私利のみを求めた、大韓帝国の再来なのだろうか？

もっとも、ほとんどの韓国人は、大韓民国が大韓帝国と同じ国旗を用いていることを、知らない。

私はすっかり馴染《なじ》みとなった、ソウルの骨董店の主人から、李完用の書を入手した。

李完用が四十代と晩年に揮毫した、二幅の掛け軸だが、骨董店に通って、店主と言葉を交わすうちに、店主が周囲を見回したうえで、李完用の書を店の奥から取り出してきて、

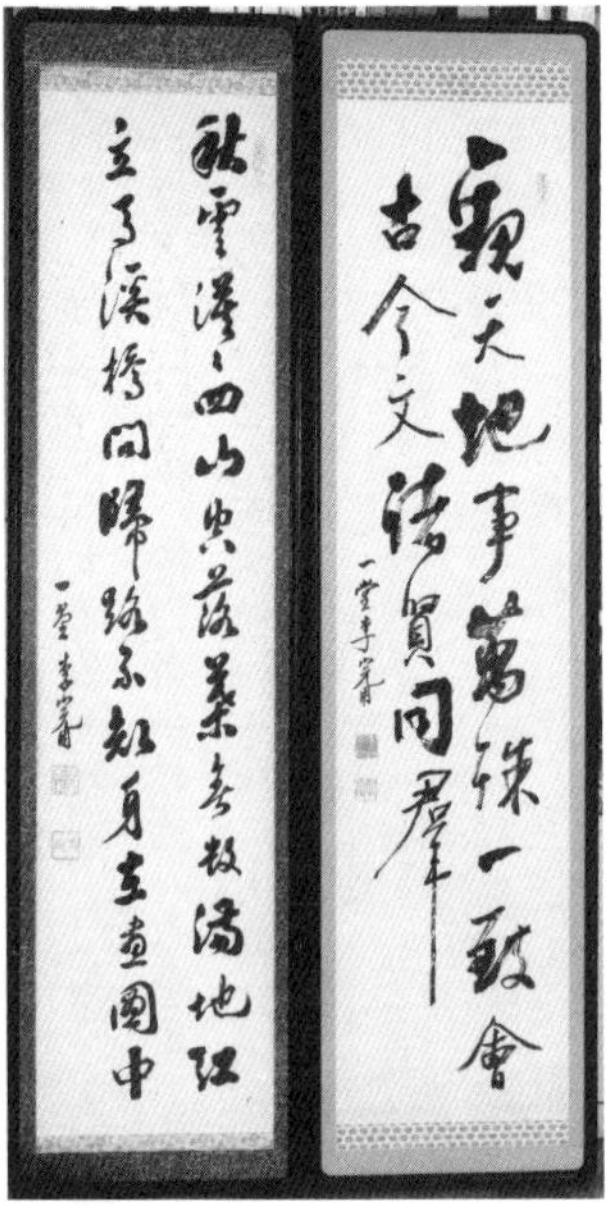

李完用の書

無料《ただ》同然の安い値段で、譲ってくれた。

店主は日本時代を懐かしむ、多くの韓国人の一人だった。

私は李完用の書を、わが家の玄関に飾って、日韓併合が行われたころを、偲《しの》んでいる。

書道家がわが家を訪れると、「李朝三大書家」として崇められるだけあって、全員がしばしば息を呑んで、見惚れる。李完用は高い教養人だった。

日韓併合は、韓国民の強い反対を、武力を用いて抑え込んで、行われたのではなかった。併合が行われた年の一九一〇年に、多数の韓国人が陸軍憲兵の補助員として採用されて、日本軍人となっている。

『韓国　堕落の2000年史』

私はソウルの東国大学など、いくつかの大学で教鞭をとった、崔基鎬《チェケイホ》教授と親しかった。

崔教授は、先の大戦中に日本に留学したが、古代からの韓国史に詳しかった。私は崔教授に日韓の歴史を比較する本を、著わすようにすすめて、いくつかの東京の出版社を紹介した。

『韓国　堕落の2000年史』（祥伝社、二〇〇一年）が、そのなかの一冊だが、韓国の歴史についてきわめて客観的、良心的に書かれている。ぜひ、一読されることをお勧めしたい。

崔教授は李朝五百年について、次のように述べている。

「李朝では、その歴史を通じて、私有財産に対する保障がなかった。そのために、人々の経済的境遇は政治的な力によって決められた。

土地も、国王の名義で政府から供与され、住宅の大きさ、その材質から家具に至るまで、所有者の権力と地位によって、細かく決められていた。

もし政争に敗れた場合には、土地や家屋を没収され、家族が奴婢にされることも度々あった。

国王とその官吏は、すべてのものに対して第一次的な権利があり、自由気儘にお手盛りをすることができた。官僚と両班たちは公に奉仕することなく、自らに奉仕した。

両班と官吏は、産業を復興することにまったく関心がなく、国民を食い物にしたから、掠奪《りゃくだつ》経済という表現が妥当であった。

厖大な官僚の数に加えて、世襲や、下の階層の者が身分を買うことによって、両班の数は年々増加していき、李朝末期には国民の五〇％にまで達した」

第二章（四十四ページ）で、韓国民が今日の韓国を、「腐敗共和国《プペコンファグク》」「腐敗社会《プペサファ》」「泥棒文化《トンボムンファ》」などと自嘲していることを紹介したが、李朝社会とあまり変わっていない。

崔教授は先の大戦中に、十八歳の青年として日本に留学した。

崔青年が東京に来ると、「朝鮮にいた韓国人のほうが、日本にいる日本人よりも、日本への愛国心がはるかに強いことに、驚きましたよ。映画館で、日本軍が勝利を収めたニュース映画が上映されると、ソウル（当時は京城）では、観客が総立ちになって、歓声をあげたのに、日本では黙り込んで、拍手もしないのです」と、語ってくれた。

当時は韓国人も、日本人も、同じ日本国民だった。

韓国人が軍人となるためには、志願しなければならなかった。昭和十八（一九四三）年をとると、五千三百人の採用人数に対して、三十万三千二百五十四人が応募した。じつに五十六・七倍の競争倍率だった。

崔教授は、韓国が〝日本化〟――近代化しないかぎり、救われないと訴えたが、晩年、富山県韓国交流アドバイザーなどをつとめた。

靖国神社には、二万一千人の朝鮮半島出身の軍人と軍属が、祀られている。

華夷思想の祟り

もし、大韓帝国の金弘集内閣による近代化政策が成功していたとすれば、今日の韓国はまったく違った国となっていたことだろう。

十九世紀末に、韓国が近代化することができなかった大きな理由の一つが、華夷思想だった。

中国をひたすら崇めた、祟《たた》りだった。

華夷秩序によって、対外観が歪められてしまって、海の向こうに夷狄《いてき》の世界しかひろがっていないと、みなしていたためだった。

日本では、常世信仰《とこよしんこう》といって、海の彼方《かなた》に理想郷があって、よいものがもたらされると、信じられてきた。

日本人はつねに海の彼方に、憧れてきた。海は金波銀波《きんなみぎんなみ》をこえて、宝を運んできてくれた。

日本では、古代から海原のかなたに、「常世《とこよ》の国」と呼ばれる、楽園が存在した。日本は海外からつねに、役に立つものを摂取し、消化して、成長してきた。私たちは、海の民なのだ。

ところが、中国では、仙人や、仙郷の「仙」という字が、人偏《にんべん》に山が組み合わされているように、山の深い奥に理想郷があると、信じてきた。

そのかたわら、海のかなたの世界を、蔑んできた。海に背を向けた、文明だった。

幕末に攘夷派が、あれほど攘夷にこだわったのに、国論が一変して、開港と決まったのには、「常世信仰」があったからにちがいない。

日本は独立を守るために、「文明開化」に取り組むことによって、亡国を免れることができた。

韓国語には、朝鮮半島が三方を海によって囲まれているというのに、海に憧れる発想が欠けていたために、中国語と同じように、「宝船」という言葉がない。

今日の韓国にとっては、韓国が不法占拠している独島《ドクト》（島根県竹島）が、聖地となっている。

韓国の長い歴史で、海に浮ぶ島が聖地となったのは、はじめてのことだ。

北朝鮮——朝鮮民主主義人民共和国が、金日成《キムイルソン》主席が抗日ゲリラ戦を戦い、金正日《キムジョンイル》総書記が生まれたと称する白頭山《ペクトウサン》を、仙郷である聖地として仰いでいるのは、朝鮮の伝統にかなっている。

韓国が島を聖地としているのには、無理があるのではないか、心配だ。

第六章　暴走する韓国、激変する世界

日本も韓国も同じ病い

二〇一七年に、文在寅大統領が青瓦台《チョンワデ》の主人公となると、選挙戦中に公約の柱として掲げていたが、露骨な「反日《パンイル》」政策を実行に移した。

一九四八年に、アメリカによって大韓民国がつくられると、初代の李承晩大統領が、「親米、反共、反日」を、政権の三つの政策とした。

アメリカは東京裁判をはじめとして、日本が極悪な国だと、日本国民を洗脳していたから、李承晩政権の「反日」は、アメリカの占領政策に適っていた。

李承晩は、李朝末期の開明派の一人だったが投獄され、一八九八年にアメリカに亡命した。

アメリカで、独りよがりな韓国独立運動を行っていたが、アメリカの要路の人々は、誰も相手にしなかった。

ピエロのような存在でしかなかったものの、アメリカは三十八度線以南の南朝鮮を占領すると、重慶にあった臨時政府も、南朝鮮にいた朝鮮人も、まったく信用していなかった。

いずれ韓国を独立させることになっていたから、在米生活が長く、英語を流暢《りゅうちょう》に話した李承晩を、アメリカの意のまま操れる傀儡《かいらい》として、選んだのだった。

李承晩は初代大統領に就任すると、徹底した反日政策を打ち出した。

翌年の一九四九年に、「対島《テマドウ》領有宣言」を発し、「竹島」が韓国領だといって、「返還要求」を行ったが、アメリカはさすがにいっさい認めなかった。

李政権は一九五二年に、日本と韓国のあいだにひろがる海域に、一方的に不法な「李承晩ライン」をひいて、日本の多くの漁船を、漁民ぐるみで拿捕《だほ》した。

文在寅政権は、尖鋭な「反日」を、政権の拠り所としているが、李承晩政権の再来だ。

「反日《パンイル》」は、根拠がまったくない、造り物であるから、日本にとって虚言症を患っている患者を相手に話すのと同じことで、真面目に相手にしようがない。

私は産経新聞を手に取るたびに、韓国に滞在生活が長く、私と同じ親韓派の黒田勝弘・ソウル駐在客員論説委員による解説によって、多くを学んできた。

黒田氏は、韓国の「反日」について、つぎのように述べている。

「韓国民の反日感情というのは、日本による朝鮮半島支配が終わった後、日本においては戦後、彼らにおいては、いわゆる解放後に形成されたものである」（『それでも私はあきらめない』〈黒田福美著〉のあとがき、WAC株式会社）

もっとも、朝日新聞をはじめとする、偏向した左翼による、戦後の日本における自虐的な反日論調も、敗戦後になってつくられたものだから、韓国を笑うことが、まったくできない。

日本も、韓国も、同じ病いを患っているのだ。

朝日新聞や、ＮＨＫ（日本放送協会）が、敗戦の昭和二十年八月前の日本をすべて否定して、「反日」に徹しているのも、満州事変から、先の戦争に当たって、軍国主義と戦争熱を煽りに煽り立てた、負い目から発している。

韓国の「反日」も、日本時代に国民をあげて日本統治に協力した負い目を、裏返しにしたものだ。

暴走する文在寅大統領

文在寅大統領が権力を濫用して、反日政策にかぎらず、暴走するなかで、韓国が大きく揺れている。

文政権下で韓国民がまっ二つに分断されるようになっており、文大統領支持派と反対派がそれぞれ、数十万人、百万人も街頭に繰り出して、対立している。

文大統領が腹心の曹国《チョグク》氏を、法律の番人である法務長官（法相）に指名したところ、娘の不正入学から、妻の鄭敬心《チョンギョンシム》夫人が親族とともにたちあげた不正ファンド、曹国氏本人の経歴詐称や、日本の研究書から剽窃《ひょうせつ》した学位論文の盗作などの疑惑までが、つぎつぎと暴かれて、韓国のマスコミから、「玉葱男《ヤンパナムジャ》」と呼ばれるようになった。

まるで、洋葱《ヤンパ》――タマネギのように、剥《む》いてもむいても、つぎつぎと新しい疑惑がでてくる、という意味だ。

文在寅政権も、〝玉葱政権〟ではないか。

鄭敬心夫人が検察庁によって、在宅で取り調べを受けるかたわら、曹氏の甥が公共事業にかかわるファンドを、夫人とたちあげて、巨額にのぼる不正利益を手にした容疑によって、逮捕された。

曹国氏の実弟に逮捕状がでたところ、韓国では司法が独立していないために、最高裁判所の決定によって、逮捕状がただちに無効にされた。

鄭敬心夫人は、夫の曹国氏が法務長官を辞職すると、逮捕状がすぐに執行された。

曹国氏には、李朝時代の両班の「サントゥ」（髷《まげ》）が、よく似合うと思う。

李朝時代には、両班の子息だけに、科挙試験を受験する資格があった。

ところが、父が有力者であるか、先祖に功績があったと認められれば、「蔭徳《オントク》」といって、科挙を受けなくても、無試験で上級官吏に登用された。

曹国氏の娘は、「蔭徳《オントク》」によって、有名大学に入学できたにちがいない。

まるで、俄《にわ》か仕立ての韓流ドラマを、観ているようだ。

曹国氏は国民の味方として、進歩的な社会主義者を装ってきたが、玉葱《ヤンパ》を一枚むくと、頭にサントゥ（髷）を結った、李朝時代の両班なのだ。

文大統領は、マスコミと多くの国民の強い反対と批判をよそに、曹氏を法務長官として任命することを、強行したが、あまりにも異常なことだった。どこの国においても、考えられないことだった。

曹国氏が法務長官に任命される前から、娘の大学不正入学をめぐって、ソウルのいくつもの有名大学の学生たちが集まって、抗議集会を繰り返すかたわら、文大統領が過激な「反日」政策を強行して、韓国経済が失速することを恐れて、文政権に反対する大規模な集会が催されていた。

曹国氏は罷免を要求して、「曹国反対《チョグクバンデ》！」を叫ぶ大規模集会と、ネットに溢れる抗議の書き込みに逆らうことができず、法務長官に就任して一ヶ月あまりで、辞任を強いられた。

曹氏は、ソウル大学法学部教授を休職していたが、復職すると発表した。すると、韓国のネットに、「犯罪人が法を教えるのは、認められない」という書き込みなど、怒りの声があいついだ。

韓国のネットは、文政権批判でいっぱいだ。

二〇一九年に、日本政府が半導体の製造に欠かせないフッ素化水素や、フッ素化ポリイミド、レジストの韓国への輸出を、それまで無審査で行っていたのを、韓国が第三国を通じて、北朝鮮へ不正に供給していたために、「ホワイト国」から除外したところ、文在寅政権が報復として、日韓間で防衛情報を交換する、ＧＳＯＭＩＡ（軍事情報包括保護協定）を破棄した。

「ホワイト国」は輸出管理にあたって、審査を必要としない。

ＧＳＯＭＩＡは、北朝鮮が発射したミサイルを追尾するために必要な情報を、両国が共有することを、可能にしていた。

その直後に、文大統領がタイを訪問して、タイ政府とのあいだに、ＧＳＯＭＩＡ協定を結んだ。

すると、韓国のネットに、「いったい、タイが韓国と北朝鮮のあいだにあると信じているのだろうか。エチオピアとも、ＧＳＯＭＩＡを結ぶことをすすめたい」という、投稿があった。

頻発する百万人デモ

ソウル大学といえば、韓国では「ソウル・ナショナル」と呼ばれて、大学の最高峰として崇められているが、日本時代に日本がつくった京城帝国大学を、改名したものだ。

曹氏は文大統領とともに、「日帝残滓清算」を唱えてきたが、ソウル大学も「残滓」ではないか。

西洋の帝国主義諸国が植民地に、大学をつくったものだろうか。一つも、つくっていない。

大規模な反対集会といえば、韓国民のお家芸となっている。

これまでも、李明博政権のもとで、アメリカの肉牛が狂牛病にかかっているという報道から、百万人以上がアメリカ産の牛肉を輸入するのに反対して、ソウルの広場や、街路に繰り出したことがあった。

朴槿恵大統領のスキャンダルに発して、やはり百万人以上の市民が、ソウルの街路を埋めて、大統領の罷免を求めた。

韓国人は、感情を爆発させることを楽しむ——というと、必要としているのだ。

世界のなかで、百万人以上の抗議集会が、これほど頻繁に行われる国は、他にない。

文在寅大統領は、北朝鮮に好意をいだいてきた、〝従北派《チョンプクパ》〟といわれていた。

そして青瓦台入りを果すと、すぐに本性をあらわして、南北関係を改善する意欲を明らかにした。

トランプ大統領に供した、独島のエビと南シナ海のエビ

トランプ政権は、二〇一五年一月に発足していたが、二年後に従北派《ジュンポクパ》だとして知られた文在寅大統領が登場すると、警戒心を強めていた。

文大統領は、二〇一八年の平昌冬季オリンピック大会が迫ると、北朝鮮と共催して、北においてスキー競技の一部を行うとか、軍事境界線で南北軍事協議を開き、朴槿恵政権が北に対する経済制裁として閉鎖した、開城工業団地《ケソンコンオブダンジ》を再開する意向まで、矢継ぎ早やに発表した。

二〇一七年に、トランプ大統領が文大統領が就任した直後に、日本を含めたアジア五ヶ国を訪れた。

トランプ大統領は日本に二泊して、手厚い歓迎を受けた後に、韓国に一泊、中国に二泊した。

ソウルの国賓晩餐会では、不法占拠している竹島（韓国が「独島《ドクト》」と呼ぶ）のエビを供した。日本から竹島を盗んでいるから、エビは盗品だった。

晩餐会に、チマチョゴリを装った、年老いた元慰安婦を出席させて、トランプ大統領に抱きつかせた。

トランプ大統領は、誰か分からないので、されるがままにした。アメリカ人として、女性には優しくしなければならない。ましてや、老女なのだ。

他方、北京の人民大会堂における晩餐会では、中国が南シナ海に七つの人工島を不法建設して、内海にして支配しようとしている、南シナ海の魚が供された。

韓国と中国では、王朝が興っては滅び、政敵の食物に毒を盛って、葬ってきた。

韓国と中国が、〝独島〟のエビと、南シナ海の人工島の魚を供したのは、品位のない国だからだ。

食物の政治利用は、オリンピックの政治利用よりも、えげつがないことだ。

オリンピックを政治に利用することは、禁じられてきた。

それにもかかわらず、文大統領は北朝鮮の高位代表団と、美女音楽団や、応援団を平昌《ピョンチャン》大会に招いて、安手《やすで》な〝南北融和ショー〟を演出した。

そのために、トランプ大統領が金委員長と、三回にわたって会談に応じる、空ら騒ぎに発展した。

北朝鮮は核兵器を手放さない

文大統領が愚かなことに、信念か、功名心に駆られたのか、余計なことをしたために、日米韓、中国をはじめとして、国連による北朝鮮に対する経済制裁を、粛々と強化してゆけばよかったのに、北朝鮮核兵器・ミサイル危機を混乱させてしまった。

平昌冬季オリンピック大会中に、南北軍事境界線の板門店の韓国側にある、「平和の家《ピョンファ・ウィ・チプ》」において、南北首脳会談が行われた。

日本のテレビ各局が、文大統領と金正恩委員長の会談を昂奮して、上ずった声で、「歴史的な」「歴史的な」と連呼した。

「歴史的な空ら騒ぎ」というのであれば、私も納得した。

文大統領は韓流ドラマ仕立ての李朝時代の派手な扮装をした儀仗兵を並べて、金正恩委員長を迎えた。

金正恩委員長が、核兵器を手離すはずがない。

私はトランプ政権の中枢にある友人たちに、米朝交渉が実を結ぶはずがないと、説いてきた。

三回目の米朝首脳会談が、二〇一九年二月に八ヶ月ぶりに、ベトナムのハノイで鳴り物入りで開かれた。

私はその前日に、都内の帝国ホテルで経営者団体に招かれて、講演を行った。

私は「もし、予想が外れたとしたら、もう一度お招き下さって、なぜ、予想が外れたのか、詳しくお話したいと思います。
北朝鮮が核兵器を手放すことは、ありえない。
明日から始まる米朝サミットは、何一つ成果がなく、終わるでしょう」と、述べた。

米朝首脳会談の寸前まで、どのチャンネルをまわしても、さまざまな専門家が登場して、アメリカのカードはこうだ、北朝鮮のカードは何だといって、米朝間で取り引きが行われることを、まことしやかに、論じていた。

こういった番組は、ニュース番組を装っていても、ニュース番組ではない。

退屈しのぎを求める視聴者を、満足させるための芸能番組なのだ。

おもしろおかしいのは、仕方がないといっても、日本を取り巻く国際情勢が、いっそう厳しくなっているのにかかわらず、すべて芸能感覚に変換して、国民を目隠ししてよいものだろうか。

先の経営者団体の会長が、二日にわたった米朝首脳会談が終わった直後に、電話をくれた。

「よく適中しましたね」といって、誉めてくれた。

私は先の講演で、金正恩委員長がトランプ大統領と再会して握手する時には、掌《てのひら》を垂直にしてださずに、水平に差し出すことになるはずだ、といった。一刻も早く、制裁を解除して、お金が欲しい、という意味だった。

私は金委員長が急《せ》くあまり、トランプ大統領が呑めない要求を、行うことになるだろう、といった。

米朝首脳会談が物別れだったのは、上首尾だった。

トランプ大統領の功績

トランプ大統領は、会談後、金委員長を「よい友人だ」と誉めそやしたが、金委員長に何一つ、土産を渡すことがなかった。今後、アメリカは北朝鮮に対する経済制裁を、緩めないから、金委員長と北朝鮮の国民の苦難が深まることになる。

金委員長は、ハノイでしくじった。そのもとといえば、文在寅大統領にあった。「親北」「反日」の文大統領が、南北融和を焦るあまり、米朝の仲介者を気取って、金委員長にアメリカが北朝鮮に譲ることになろうと吹き込んで、甘い期待をいだかせた。文大統領にとって、大きな挫折となった。

トランプ大統領はニューヨークのマンハッタンで、不動産業で財をなした父の子として、少年時代からマフィアや、建築業界の労働組合の幹部たちとつきあっていたから、相手を微笑を浮べて、誉めながら脅すのに、長《た》けている。アメリカの建設業界の労働幹部は、マフィアによく似ていることで、知られる。

私はシンガポールにおいて、第一回米朝首脳会談が行われた前から、北朝鮮が核兵器を捨てることはありえないと、予見してきた。

北朝鮮は核兵器なしには、経済が破綻した、みじめな小国にしかすぎない。

アメリカの大統領と会談できるのも、核兵器の効用である。

仮に北朝鮮が「非核化」を受け入れたとしても、北朝鮮がアメリカに対して、無条件降伏しないかぎり、北朝鮮全土の核兵器や、核ミサイルを隈なく捜すことはできない。核弾頭の所在や、核施設を「自己申告」することになるから、隠すことができる。

北朝鮮は、アメリカと話し合っているかぎり、核実験や、日本の沖合に向け、あるいは日本の頭上を越えて、ミサイルの試射を行うことができない。これは、トランプ大統領の大きな功績といわねばならない。

それにしても、金正恩委員長はトランプ大統領が、〝ロシア疑惑〟によって追い詰められており、来年の大統領選挙へ向けて功名をたてることを焦っているという、アメリカの大手マスコミの報道によって、騙されていたにちがいない。

アメリカの主要なマスコミは、この前の大統領選挙で、ヒラリー・クリントン候補を支持して、惨敗したために、朝日新聞をはじめとする日本のマスコミが「反安倍」であるように、「反トランプ《ネバー・トランプ》報道」に血道をあげている。

私は〝ロシア疑惑〟が、トランプ政権の致命傷となることはありえないと、説いてきた。トランプ大統領の支持率は、かえってあがっていた。

いま、アメリカの民主党が〝ウクライナ疑惑〟を騒ぎ立てて、大統領を弾劾して罷免すると息巻いているが、日本の野党や、マスコミが「モリカケ」騒動をつくって、政治を空転させたのと、似ている。

北朝鮮の脅威は、北朝鮮の金体制が崩壊しないかぎり去らない。

日本は中国の脅威にも、備えなければならない。北朝鮮よりも、中国の脅威のほうが、はるかに恐ろしい。

仮に北朝鮮が、日本に核ミサイルを撃ち込んだとすれば、北朝鮮はみすぼらしい小国だから、アメリカが圧倒的な軍事力を行使して、北朝鮮を壊滅させよう。

しかし、中国が日本に核ミサイルを撃ち込んだ場合に、アメリカが日本を守ってくれるだろうか。

日本として米朝の話合いが続くあいだに、防衛力の強化を急ぐべきだ。

日本は韓国の最大の脅威

韓国の「反日」はいまになって、始まったことではない。

私がはじめて韓国を訪れたのは、一九六四年で、朴正熙政権時代だった。

朴政権は政権として、親日政策をとっていたが、学校教育の場で、李承晩政権が定めた「反日」教育を、続けていた。

それしか、青少年に愛国心を植えつける方法が、なかったのだろう。

アメリカは、李承晩政権が「反日政権」をとっていたのを、アメリカの対日占領政策と合致していたから、歓迎していた。

ところが、李承晩政権があまりにも腐敗していたのに、アメリカの世論が愛想をつかし、トルーマン政権も韓国に嫌気《いやけ》がさして、アメリカ軍を韓国から撤退させてしまった。

在韓米軍が撤収したことが、朝鮮戦争の引き金をひいた。

アメリカは、日米安保体制を東アジア戦略の基盤とすると、韓国の「反日」政策に手を焼いてきた。

韓国の盧泰愚大統領が訪米した時に、ラムズフェルド国防長官と会談した。

私はフォード政権と、ブッシュ（息子）政権で、国防長官をつとめた、ドナルド・ラムズフェルド氏と親しかった。

ラムズフェルド氏が下院議員時代に、一九七〇年代に信越化学の小坂徳三郎氏が主催していた下田会議で、私が監事をつとめていたことから知り合って、下田の町の縄のれんに誘って、酌み交わしてからの仲だった。

盧泰愚大統領は会談が始まると、真面目な表情を変えずに、「韓国にとって、日本が最大の脅威だ」と、述べた。

ラムズフェルド長官は、通訳が訳するのを聞くと、わきにいた補佐官に聞こえるように、「このバカ《フール》は、いったい何をいっているか」といって、盧大統領に「私は忙しい。そのような話を、聞いている暇はない」と吐き捨てて、席を立った。

盧泰愚大統領の頭も、多くの韓国人がそうであるように、半分が反日で、半分が親日だったに、ちがいない。

韓国は日本と同じように、アメリカから最新鋭ステルス戦闘機であるＦ35を導入しているが、この前の主力戦闘機も、日本と同じＦ15だった。

韓国は次期主力戦闘機を選ぶのに当たって、アメリカの国防省《ペンタゴン》が韓国に滑走路が長い基地が少く、短い滑走路でも離着陸できる軽戦闘機をすすめたのにもかかわらず、Ｆ15を採用した。

北朝鮮に対して備えるのに、Ｆ15は必要なかった。理由は、日本がＦ15を持っていたからだった。

韓国は高価なイージス艦を、四隻も保有しているが、北朝鮮の脅威に対して役立つものではない。日本に対抗するためだった。

韓国は、国産のアジアで最大という強襲揚陸艦を、『独島《ドクト》』（竹島の韓国名）と、命名している。

二〇一五年に、朴槿恵大統領がオバマ大統領とホワイトハウスで会談した時に、「日本が歴史観を歪めて、アジアの安定を脅している」と、訴えた。

朴槿恵大統領は同じ年に北京において中韓首脳会談を行った時に、習近平主席に対して日本との「歴史認識をめぐる対立が、アジアの安定を脅かしている」と、訴えた。

「反日」の歪んだ歴史観を煽り立てて、日韓の歩調を乱していることが、アジアの安定を、脅かしているのではないか。

韓国も、中国も、日本が歴史観を正すことによって、日本が自立して、力を増すことを、恐れている。

日本を抑えつけておくことが、中国、韓国の利益だと、信じているのだ。

日本のマスメディアの反日報道

日本では、首相による靖国神社参拝一つをとっても、マスメディアが「中国を刺激するから、慎むべきだ」という、大合唱を行っている。

まるで家の近くに、暴力団の本部があって、「刺激してはならない」といって、怯えているようではないか。中国を暴力団扱いにするのは、失礼ではないか。

日本国民は、韓国の歴代の政権が、反日感情を煽ってきたのに、困惑しきっている。

韓国政府や、アメリカ、オーストラリア、カナダなどに移住した韓国人が、旧日本軍の慰安婦が「性奴隷《セックス・スレイブ》」だったと主張して、世界各所に〝慰安婦像〟を建ててきたために、日本が非人道的な国だと、ひろく信じられるようになっている。

どうして、世界の多くの人々がこのようなあからさまな嘘を信じるようになったのか、理解に苦しまなければならない。

韓国のこの誹謗に対して、日本政府や、民間による反論が不十分だといっても、加害者の言い訳のように、聞こえるのだろう。

河野洋平官房長官が慰安婦について、故《ゆえ》なく謝罪し、日本を代表する――と信じられている――朝日新聞が、娘たちを拉致して慰安婦となることを強いたという報道を、捏造して繰り返したとしても、慰安婦が「性奴隷」だったという嘘が、どうして世界に受けいれられるようになったのだろうか？

「反日」の日本人による「性奴隷」という造語が、多くの人のみだらな好奇心をそそったのは、間違いない。

慰安婦が「性奴隷」だったという、韓国の訴えが、世界にひろまったのは、今世紀に入ってから先進国において、不平不満が権利だとみなされて、社会を動かすようになったからだ。

箍がはずれた世界

人類は長い歳月にわたって、与えられた境遇に、耐えたものだった。

ところが、テクノロジーの恩恵によって、豊かさが爆発したように増したことによって、個人に何よりも高い価値が与えられたために、人々が放縦で、我儘になった。

そのために人類の歴史ではじめて不平不満が、権利として認められるようになっている。

都会に住んでいると、誰もがかつての王侯貴族のような生活を営んでいる。贅を極めているのに、贅に耽っているのに気付かないが、これほどの贅沢はない。

スマホを使って、世界中の料理が自宅まで届く。タクシーを拾って、行き先をいえばよい。指先一つで、家電を動かせる。

テレビによって、居間でバラエティー・ニュース・ショーをはじめとする、芸能《おわらい》番組を楽しめる。

あらゆるサービスが、身の回りにある。サービスserviceの語源は、ヨーロッパ諸語のもとのラテン語で、奴隷を意味するセルヴスservusだ。

今日、先進国に住む人々は、大勢の奴隷にかしづかれている。

それなのに、不満でいっぱいだ。豊かさと便利さが増すにしたがって、人々の不平不満が増してきた。

八〇年代が終わるまでは製造業が世界を制していたが、金融業によって代られ、今世紀に入ってから、ネットが普及したために、すべてが個人の嗜好に迎合するようになっている。

個人が甘やかされて、世界を動かしている。

世界の箍《たが》――桶《おけ》や樽《たる》などにはめて、固く締めて固めていた――が、外れてしまったのだ。

世界は産業革命後の、まったく新しい段階を迎えている。

大量生産は労働者を消費者に変えたが、消費者は画一的な製品を買わされたから、大量生産の僕《しもべ》だった。

だが、いまや、個人が経済の主人公となった。

大量生産時代が終わって、多種少量生産時代に代わった結果、あらゆるものが個人の嗜好に合わされている。

産業革命は画一的な大量消費時代をもたらし、ネット革命が個人を主役の座につけた。

そのなかで、全員が際限ない欲望を満たす権利が与えられていると、思い込まされるようになって、権利の概念が一変した。

欲しいものを手に入れることができるようになると、かえって不平不満が昂まる。

十年ほど前から、アメリカで始まった女性たちによる「ミー・トゥ #MeToo運動」が、そうだ。十年か、十五年前にレイプされたと名乗り出ることによって、十分な証拠がないのにもかかわらず、有力者がつぎつぎ社会的地位を奪われている。レズビアン、バイセクシュアル、ゲイ、トランスセクシュアル、クイアー（変態）が差別を蒙ってきたから、社会的な権利を主張している。

つい十年ほど前までは、「クイアー」といったら、罵倒語だった。ところが、いまでは堂々と胸を張って、「アイム・クイアー」といえるようになっている。

先の参議院議員選挙で、立憲民主党の枝野幸男代表の顔写真が入ったチラシを見たら、「ＬＧＢＴＱを応援します」と、書かれていた。

私はＱが加えられているのに、息を呑んだ。

ＬＧＢＴＱ運動も、最近になって出現したものだ。アメリカ、イギリス、ヨーロッパでは、新聞やテレビがＬＧＢＴＱＩと、Ｉ――インターセクシュアルを加えている。

個人が崇められる時代なのだ。個人は多様であるから、性的な嗜好までが、細分化されるようになっている。

「差別語」を排斥するのも、〝差別〟によって被害を蒙ってきたという人々の地位を、向上させるものだとされる。

アメリカでは、リベラルなオバマ政権のもとで、ミスター、ミセス、ミスの呼称が男女差別に当たるから、「ミックスMX」と呼ぶように求められた。「メリー・クリスマス」「クリスマス・ツリー」は、キリスト教徒以外の者を差別するから、「ハッピー・ホリデイズ」「ホリデイ・ツリー」と呼ばねばならなかった。

英語圏ではいっさい差別を除去するために、「差別語」を禁じることを、「ポリティカル・コレクトネス」というが、私は〝言葉狩り〟と訳している。

オバマ政権の最後の年には、大統領令によって、自分が信じる性によって男女どちらの便所を使ってもよいこととなった。

トランプ政権になって撤回されたが、リベラルなカリフォルニア州などでは、「ジェンダー・フリー」（性差別なし）といって、便所に男女の区別がない。

この八月には、サンフランシスコ市議会が条例によって「マンホール」のマンが女性を差別するといって、「メインテナンス・ホール」と、呼ぶことを定めた。

日本でも、言葉狩りが猖獗《しょうけつ》をきわめ、女と帚が組み合わされているから差別だといって、婦人警察官、婦人自衛官が、女性警察官、女性自衛官に改められるなど、言葉の破壊が進んでいる。それなのに、厚労省が「妊婦」「産婦人科」という言葉を、使っている。どちらかにしてほしい。

女権活動家が、嫌、妬む、妨げる、妖《あや》しい、姦、奴、奸などの字が、女性差別に当たるから廃止すべきだと、要求している。

男女は体も、精神構造も違っているのに、差別することになるから「男らしい」とか、「女らしい」といってはならない。男女を区別すると、差別とみなされる。

不平不満は権利となり、巨大な産業の基盤となった

アントニオ・グラムシ（一八九一年〜一九三七年）といえば、イタリア共産党の思想家だったが、グラムシの著書は一九六〇、七〇年代の全共闘世代の左翼のバイブルだった。

グラムシは共産主義者だが、階級闘争によって歴史の必然として革命が成就して、共産社会が実現するというマルクスの理論を否定して、先進国において豊かさが増してゆく結果、社会集団が解体して、革命への自覚を欠き、組織されることがない一般の人々に移ることによって、国家が消滅してゆくと説いた。

グラムシはネオマルキシストと呼ばれているが、在来文化の鎖によって縛られてきた社会集団が、個人に高い価値が与えられることによって、解体してゆくと予見した。

日本でも、豊かさの代償である不平不満によって、社会を統べてきた慣習が、力を失いつつある。

言葉が人々の慣習を支えてきたが、〝差別語狩り〟によって、言葉が力を失うようになっている。

「セクハラ」「パワハラ」「人種差別」「男女差別」「働きかた改革」「過ぎ去った歴史認識」から、「気候変動」まで、どこをみても、不平不満の種でいっぱいだ。

これまで社会慣習を支えてきた制度や、合意が、加害者として、みなされるようになっている。

私は「気候変動」をとれば、地球温暖化が人間の活動によって、もたらされていると、信じない。

気象変動は、地球を見舞ってきた、自然のサイクルによってもたらされている。

二酸化炭素（ＣＯ２）が目の敵《かたき》にされているが、ＣＯ２が増えれば、かえって緑化が進むことによって、作物の増収がもたらされる。

マスコミが北極の白クマの数が激減しているとか、北極の氷が急速に溶けていると、報道している。テレビが気の毒な白熊の映像を放映して、人々の同情をそそっている。

事実は、白クマの個体数は増えており、体重も増している。北極の氷も、科学的なデータによって増えていることが、証明されている。

そのために、クリントン政権のアルバート・ゴア元副大統領をはじめとする、地球温暖化に反対する闘士たちが、白クマや、北極の氷を、温暖化の例として用いなくなっている。

ところが、気候変動をはじめとして、人々の不平不満を煽ることによって、マスコミや各種企業や、団体が、巨額の金儲けをしている。不平不満によって潤っている産業が、存在しているのだ。

不平不満が権利となったために、不平不満が巨大な産業となっている。

気候変動は、古代から人々によって信じられてきた世界の終末観に当たるものだ。仏教や、キリスト教などが説いてきた、世界の恐ろしい終末観が、手助けをしているにちがいない。

不平不満が人々を元気づける。人類にとって、かつてなかった現象だ。

韓国が旧日本軍の慰安婦が「性奴隷」だったと言いふらして、成功しているのは、このような背景があるからだ。

「ミー・トゥ　#MeToo運動」をはじめとして、不平不満が人々の共感を呼ぶようになっている潮流のなかで、慰安婦が、当時、売春が合法だったもとの売春婦だったと、反論してみても、なかなか受け入れられない。

第七章　愛すべき懐かしの韓国、日本の脅威

初の訪韓

私がはじめて韓国を訪れたのは、日韓国交正常化の前年に当たった、一九六四年の冬のことだった。

ソウルは、道路が凍って寒かった。夜になると、街路灯がほとんどなかったので、暗かった。

『新潟日報』などの地方紙から、韓国について連載を書くように依頼されて、時事通信社から特派員の肩書きをもらって、韓国に入国した。

日韓両国が、国交正常化する前だったから、ソウルに日本人といえば、商社の駐在員や、通信社、新聞社の特派員など、六、七十人ほどしかいなかった。

私は二十六歳だった。あの時の韓国は、終戦後の日本のように、暗澹とさせられるほど、貧しかった。

街の食堂《シクタン》には、駐留米軍キャンプで兵士が食べ残して、捨てた残飯を調理した「部隊《プデ》鍋《チゲ》」があった。

いまでも、韓国の大衆食堂に、「プデチゲ」と呼ばれる料理があるが、まさか、アメリカ軍の残飯ではない。だが、私にとって「プデチゲ」という名前は、懐かしい。

ソウルでは、毎日、数人の凍死者や、餓死者が発生していた。

当時の韓国の主要産業だった繊維工場では、女工が一日二食しか食べられなかった。

街には、ボロをまとった浮浪児が、溢れていた。

タクシーが目的地に近づいて、速度を落すと、何人かの浮浪児が車のわきを走って、停まると外からドアを開けて、小銭《こぜに》をねだった。

私はどこへ行っても、日本人だとわかると、歓迎された。

土間の食堂《シクタン》や、ポジャンマチャ（屋台）を覗くと、日本人と会うのを懐かしがって、日本語で話しかけてきて、競うようにして、マッコリ（ドブロク）を奢ってくれた。

ビールは高価な高級品だったから、大衆食堂や、屋台にはみられなかった。

私は韓国へ行く前に、在日韓国人から韓国語の特訓を受けて、片言を一所懸命に暗記していた。

ところが、食堂で女性の従業員に、「チョプシチュセヨ！（小皿を下さい）」と頼むと、「コザラ！」と日本語で、置くに伝えた。

「ナムチョカラ」（割り箸）というと、「ワリバシ！」と、日本語を使った。

早起きして、街を歩いていると、リヤカー（韓国では「リオカー」という）を牽《ひ》いた男性が、大きな鉄のハサミ《ヨッジャンスカウィ》をリズミカルに鳴らしながら、「ケー・サムニダ」（犬を買います）！　ケー・サムニダ！　モリッカラ・サムニダ！（髪買います）！　キムイッパル・サムニダ（金歯買います）！」と叫びながら、通っていた。

家で食用の犬を収入源として、育てていた。当時、女性用の鬘《かつら》が、韓国の主要な輸出品の一つとなっていた。

金歯を売る者がいると、その場で、客の男か、女の口をあけさせて、ペンチを使って金歯を抜いた。

ある晩、現地で雇ったカメラマンの郊外の自宅に招かれて、歓待された。

午後十時半を過ぎてから、都心のホテルに戻ろうとしたが、タクシーがなかった。

当時は、戒厳令が施かれていて、午後十二時以後は、外出が禁止されていた。

都心へ向かうバス停で、カメラマンが若い娘の車掌に、私をホテル近くで降ろすように頼んだうえで、乗った。

バスは前後に扉があって、粗末な制服を着た二人の女子の車掌が、乗っていた。

バスは満員だった。私が日本人だということが伝わると、日本語が飛びかって、つぎつぎと握手を求められた。

三十分もすると全員で、日本の学校唱歌を合唱してくれた。私は感動して、しばらく涙がとまらなかった。

政府高官や、大手の会社の経営者から、高級料亭で接待された。

すると、飛行甲板のうえに、艦載機をびっしり並べた航空母艦のように、何人かの男性の従業員が料理を満載した大きな机を、机ごと運んできた。机が巨大な盆《ぼん》になっていた。

韓国では、「食卓の脚が折れるほど《サンタリガブ・ロルチドルク》」というが、食べきれないほどの料理を出す。客を歓待する時には、食べられないほどの量の料理を出すのが、礼儀だということを、体験した。

食べきれなくても、宴席が終わったあとで、下の人たちが食べる順番を、待っている。

いまでは、韓国料理の定番となっているビビンパは、もともとは食べ残しを、ごちゃ混ぜにしたものなのだ。

韓国人どうしであれば、酒を注がれたら、飲み干さなければならない。日本ではみられない乾杯合戦となる。

韓国人の男性は暴飲暴食するのが、男らしい証しとされている。

大手の会社の会長や、社長になると、「酒専務《スルソンム》」という、会長、社長にかわって、酒を飲む専務か、常務が隣に座って、代役として酒を飲むのが、仕事となっている。昼間は休んでいる、ということだった。

私は多くの親しい韓国人の友人を、つくった。

学生のコンパに仲間入り

はじめての訪韓では、十日間滞在して帰国した。

その後、韓国をさまざまな仕事で、訪れた。

韓国の研究所や、大学から講演を依頼されると、はじめの五分と、終わりの数分だけ、韓国語で挨拶することにした。

アメリカの著名な研究所が、韓国の経済発展について委託研究を、請け負っていたが、そのチームの一員として、韓国政府の経済企画院（日本の経済企画庁に当たった）、韓国銀行の会議に、出席するために通った。

韓国政府から依頼されて、ワシントンの世界銀行本部を訪問したことも、あった。

暴飲暴食が男らしさをあらわすというが、南北の境の軍事境界線が通っている、三十八度線近くの韓国軍部隊を訪れた時に、連隊長《ヨンデチョン》が立てつづきに、大盛りの冷麺《レンミョン》を三杯も平らげたのに、息を呑んだ。

私は一杯だけで満腹してしまったので、きっと日本人の男は弱々しい、と思われたことだろう。

有名大学を訪れて、学生のコンパに仲間入りしたことが、あった。

男子生徒の一人が革靴を脱ぐと、酒をなみなみと靴に注いで、回し飲みした。

李朝時代に朝鮮靴で行った習慣から、発している、ということだった。

李朝時代の両班の朝鮮靴は、動物の革で造られていたそうだった。

私のもとにも、回ってきたが、そのまま隣の大学生に渡した。

クラブでは、女性のホステスにハイヒールを脱がせると、ビールでみたして、回し飲みにした。こんな場合には、郷に入っては郷に従えという諺を、きいたことがない振りをするほかなかった。

それにしても、濡れた靴をはいて、帰らなければならない、ホステスに同情した。

日本では韓国と較べると、公家や、武士などの支配階級は粗食だった。

日本は被支配階級の庶民のほうが、食の贅沢を楽しんでいた。このような国は、他になかった。世界のなかで、独特な国だ。

最後の徳川十五代将軍の徳川慶喜は、一汁一菜だった。一汁一菜といえば、味噌汁のほかに、おかずが一品だけついた。一週間のうち、二日だけ、魚の切り身とか、二品に増えた。

武士は質実剛健が、旨とされていた。将軍は武士の頭領だったから、模範を示したのだろう。

日本では食べきれないほど、料理を出すことをしない。食卓に出されたものは、勿体ないから、残してはならない。

李朝の国王、両班は、毎日、食卓の脚が折れるほど御馳走を堪能した。

中国の毛沢東主席が、大躍進運動の失敗によって、数千万人の人民が餓死していたあいだ、食卓に山海の珍味を並べて、飽食していた。

中国の為政者として、当然のことを行っていただけのことだった。

日本文化には、韓国や、中国のような食に対する執着がないが、やはり精神文化の違いだ。

人民は支配する対象

今日の中国も同じことだが、李氏朝鮮でも、人民はあくまでも支配する対象であり、為政者にひたすら奉仕する存在だった。

日本では、民は慈しむべきものであってきたが、漢字の「民」は、奴隷の目を針で刺して、盲目にすることを、意味している。

私はいまでも外食して、レストランなどで食べ残すことがあると、子どものころから躾けられているために、ちょっとばかり、心に突き刺さるような罪悪感に、駆られるものだ。

日本人のあいさつは、「おはよう」「こんにちは」「今晩わ」と、時間によってかわる。

ところが、韓国では、一日中、「シクサハッショスムニカ?」（食事はしましたか?）だ。

そう、日本語でいわれると、私たちは戸惑ってしまう。「いいえ」と答えても、食事に誘ってくれるわけではない。

もっとも、いまでは韓国で「食事をとったか」、「まだなのか」たずねているのではなく、「お元気ですか」とか、「今晩は」という挨拶と変わらない。

中国でも挨拶は、「你吃飯了嗎」（ニーチーファンラマ。あなた、食べたか?）に、決まっている。

やはり、社会が不安定だったので、食べられなかったことが、多かったからだ。

性善説と性悪説

日本が人々の〝和〟にもとづく社会であってきたのに対して、中国は不信にもとづく社会である。韓国も、中国と変わらない。

日本では「オレオレ詐欺」をはじめとして、電話を使って高齢者を騙す詐欺が、あとを絶たない。

あれほど、テレビが注意を促しているというのに、根絶できない。

詐欺犯から電話がかかると、警戒心をいだくことがなく、罠にはまってしまうのだ。歯《は》痒《がゆ》いとしかいえない。

これは、日本が諸外国と異なって、人々が信用しあう〝和の社会〟であって、人に対する性善説を、とっているからだ。

日本のように外国について、性善説をとっている国も、他にない。

私が毎号、寄稿している月刊誌があるが、二〇一九年十月号に、敬愛するK氏による訪韓記が載っていた。

そのなかで、K氏は「私は日本人のとくに若い人が、ソウルを訪問した場合には、時間が許せば、ぜひ地下鉄西大門前にある西大門刑務所歴史館と、独立門を参観するように勧める。

歴史館は日本人にとっては、けっして気持ちの良いものではないが、一九〇七年に日本が創った刑務所の跡地を、そのまま歴史館にしたものだが、日本の植民地支配の実態がよく分かる。

日本人は韓国人ともっと深く交流して、知るべきだと思う」と、戒めている。

この歴史博物館は、日本時代に警察官が韓国人に無惨な拷問を加えている人形など、偽物ばかり展示されており、日本においては、歴史を捏造していることで、知られている。

K氏は外国人について、性善説をとっている、心優しい日本人を代表している。私は一瞬、心がほのぼのと和《なご》む思いがしたが、「オレオレ詐欺」の犠牲になる高齢者について、同じことは、とうていいえない。

K氏は、独立門を訪れたというが、扁額が李完用首相によって揮毫されていることに、気がついただろうか。

鳩山由紀夫首相が退任後に、西大門刑務所歴史館を訪れて、土下座をして謝罪して、韓国の「反日」のマスコミを、大喜びさせたが、日韓関係を悪化させる、火遊びだった。

アメリカが占領下で日本に強要した、日本国憲法はいまでも日本国民によって、「平和憲法」と呼ばれているが、前文で「平和を愛好する諸国民の公正と信義に信頼して」「安全と生存を保持」すると、うたっている。

現行の日本国憲法は、外国がすべて善良だという、性善説をとっている。

護憲派の人々は、詐欺の犠牲となる無防備な高齢者に、よく似ている。かかってくる電話が、すべて善意によるのだと、疑うことがない。心根《こころね》がやさしい、よい人たちなのだ。

だが、諸外国に対して、性善説をとってよいものだろうか。

日本は、中国、北朝鮮、ロシア、韓国のすぐ隣にあるから、環境がきわめて厳しい。

残念なことだが、人食い虎、狼、ヒグマの群に、常時、囲まれているようなものだ。そこで、護身用の猟銃をわきに置いて、油断してはなるまい。

これらの国々に対して、お人好しの高齢者のような性善説をとっていて、よいのだろうか。

「平和憲法」＝「甘えの憲法」

いったい、憲法は何のために、存在しているのだろうか？

「平和憲法」を改めることなく、守らなければならないという主張は、アメリカがどのような場合にも、日本をかならず守ってくれることを、前提にしている。

「平和憲法」というより、「甘えの憲法」ではないのだろうか。

だが、国際社会ではこのような甘えは、通用しない。

もし、護憲派の人々が、国防が戦争を招くと信じているとすれば、消防車が火事を招くことになるし、堤防があるから川が氾濫するというのとかわらない。

多くの日本国民が、自立心をいだくかわりに、アメリカに甘えている。

これでは、私たち日本国民は韓国が「反日《パンイル》」を愛国心のよりどころとして、日本に甘えているのを、笑うことはできない。

日本も、子どもの国なのだ。いったい、いつになったら成長して、おとなの国になれるのだろうか？

おとなになって、現実を直視しなければならない。

日本は北朝鮮によって拉致された日本国民を、自分の力で救うことができないでいる。

拉致被害者は、いったい、誰の被害を蒙っているのだろうか。

北朝鮮が加害者であるのは、いうまでもない。

だが、北朝鮮には、これまで誰も指摘していない、巨悪な共犯者が存在している。

日本国憲法だ。もし、日本がサンフランシスコ講和条約によって、独立を回復した後に、憲法を改正して、それぞれ日本のＧＤＰ——経済規模の半分しかない、イギリスか、フランス程度の軍備を整えていたとすれば、みすぼらしい小国の北朝鮮によって、多くの日本国民が日本国内から、拉致されることは、ありえなかった。

イギリス、フランスはそれぞれ航空母艦、核ミサイルを搭載した原子力潜水艦を、保有している。

拉致被害者を救うために、トランプ大統領に訴えるほかない。

まるで、アメリカが拉致したようではないか。

拉致被害者は、「平和憲法」の被害者なのだ。

このところ日本は、アメリカのトランプ大統領、中国の習近平国家主席、韓国の文在寅大統領の三人に、感謝しなければならない。

中国の日本に対する脅威が、日を追って募っている。

日本はアメリカなしに、まったく対処できない。

日本を守るために、アメリカ様《さま》々に、ひたすらお縋《すが》りしなければならない。

ところが、トランプ政権が二年前に登場すると、アメリカはトランプ支持派と、リベラル派の民主党支持者の真二つに、分断された。

日本が縋ってきたアメリカが、国内対立によって、頼れないようにみえた。

日本が危なかった！　ところが、この危機を、意外な助っ人が現われて、救ってくれた。

中国の習近平主席である。

トランプ政権が発足すると、習主席はアメリカが混乱して、力が衰えたと勘違いして、いよいよ中国の時代がきたと、舞いあがった。

オバマ前政権に、南シナ海の人工島を軍事化しないと明言したのに、ミサイルを配備し、

中国からヨーロッパに至る、野心的な「一帯一路」計画を暴走させて、スリランカ、カンボジアなどの軍港を、借款のカタに取りあげるなど、傍若無人に振る舞いはじめた。

中国はアメリカ市場に経済を、依存している。

先端技術も、アメリカから盗んできた。寄生虫のような存在なのに、アメリカに対して牙をむいた。

いってみれば、子会社が親会社を乗っ取ろうとしたのだ。

トランプ政権は、中国と正面から対決することを決断し、関税戦争を始めるとともに、中国へのハイテクノロジーの供給を絶った。

アメリカでは、中国の目に余る振舞いに、民主党も中国を抑えつけようと、全国民が歩調を合わせている。

習主席が分断されていたアメリカを、団結させたのだ。

そのために、巨大なアメリカの力が損なわれることがなかった。

日本が、救われた。習さん、ありがとう！

米国の占領政策批判と「反日」は似ている

文在寅大統領の韓国が、支離滅裂な空ら騒ぎを演じているために、世界で日本が韓国と較べて、まともな国だという評判が、ひろまっている。

私は文大統領がいっそう「反日」によって暴走して、韓国民が耐えられなくなって、文政権を倒すことを、期待している。

そうなれば、韓国は「韓国病《ハングクピョン》」である「反日病《パンイルピョン》」が癒されて、「反日」を取り下げることによって、正常な国として蘇生《そせい》することとなろう。

幼児の国から、おとなの国に成長することになるに、ちがいない。

韓国では、二〇一九年に、ソウル大学の李栄薫元教授による「反日」に痛烈な批判を加えた著書である『大韓民国危機の根源　反日種族主義』が、十万部を超えるベストセラーとなっている。

これまで、なかったことだ。韓国民が、目覚めはじめたのだ。

文政権の「反日」政策に、多くの韓国民が反対の声をあげるようになっている。

だが、私たちに、いったい、韓国を蔑む資格があるものだろうか。

韓国は日本統治が終わってから、七十四年にもなるのに、いまでも「日帝時代」が悪かったと非難して、自立できないでいる。

日韓併合は、七十四年の半分以下の三十六年しかなかった。

日本でも、アメリカによる占領が、もう六十七年前に終わったというのに、東京裁判をはじめとして、アメリカの占領政策が悪かったといって、いまだに自立することができないでいるという。

とくに、保守派の学者がアメリカの占領政策を非難するのに、忙しい。

これでは、韓国によく似ているではないか。いったい、どこが違うのか。

韓国では、李氏朝鮮が日韓併合まで、五百年にわたって続いた。

李朝は、高麗朝の将軍だった李成桂《イ・ソンゲ》が、クーデターによって高麗朝を倒して、自らの王朝をたてた。

李朝は、軍がクーデターを起す危険な存在だとして、軍を嫌って、必要最小限の軍備しか、持たなかった。

そのために、外敵の侵略を蒙るたびに、国土が蹂躙《じゅうりん》されて、荒廃したものの、そのたびに宗主国の中国に出兵を要請をして、中国の軍事介入に依存した。

今日の日本は、中国をアメリカに置き換えさえすれば、李氏朝鮮とまったく変わらない。

日本が、朝鮮化している。日本の国会議員や、大手のマスコミ人や、護憲派の学者には、朝鮮《ハンボク》服を着ることをすすめたい。よく似合うと思う。

歴代の天皇は謙虚であった

それでも、日本には太古の昔から、歴史を通じて、中国、韓国にはない、国の芯がある。

令和の即位礼が催された。平安の絵巻を見る思いがした。

天皇なしには、日本は、中国や、韓国のような国になってしまおう。

日本の国柄は、二千年以上も続いてきた皇室によって、表わされる。

中国と韓国では、王朝がしばしば暴力によって倒されて、交替した。

そのたびに、皇帝か、国王の姓が変わる、「易姓革命」である。

皇位、王位の簒奪者は新しい王朝を築くと、かならず専制政治を行った。支配者と被支配者に分かれて、対立してきた。

日本では、天皇と国民は一体だった。

聖徳太子が、西暦六〇四年に制定した十七条憲法は、「和」を重んじていることによって知られるが、十七条目が重要なことを、全員でよく相談して決めるように、求めている。

その四十一年後に、大化の改新が断行されたが、中国を模して、天皇による中央集権制度が導入された。

しかし、皇極天皇がこの時に詔勅を発して、「万民宰《おさ》むるは、独り制《おさ》むべからず、要《かなら》ず、民の翼《たすけ》を須《ま》つ」と、諭している。

あるいは、明治二十三年に発せられた教育勅語は、「朕爾《なんじ》臣民ト倶《とも》ニ拳拳服膺《けんけんふくよう》（謹んでよく守る）シテ咸《みな》（あまねく）其《その》徳ヲ一《いつ》ニセンコトヲ庶幾《こいねが》フ」と説いている。

その八年前に発せられた『軍人勅諭』は、「朕《ちん》ト一心ニナリテ、力ヲ国家ノ保護ニ尽サハ、我国ノ蒼生《そうせい》（国民）ハ永ク太平ノ福ヲ受ケ」と、述べている。

『五箇条の御誓文』も、「上下心ヲ一ニシテ」と、訴えている。

近代中国を建てた孫文は、中国人が「一盤散砂」（砂のようだ）といって、嘆いた。

これに対して、日本は国歌『君が代』にうたわれているように、「細石《さざれいし》」が「巌《いわお》」となる、国柄である。

世界のどの国でも、皇帝や、国王は最高権力者として、誰よりも徳を備えている者として、傲慢に振る舞ってきた。

ところが、歴代の天皇は、誰をとっても、謙虚であってきた。

日本では、歴代の天皇が、大地震や、水害などの天災に見舞われると、自分の徳が欠けていたために、災害を招いたことを、国民に詫びる詔《みことのり》を、発している。

清和天皇（第五十六代、御在位・八五八年～八七六年）は、貞観の大地震のあとで、「百姓《ひゃくしょう》（人民のこと）何の事ありてか、所の禍毒に罹《たお》れる。憮然《ぶぜん》として愧《は》じ懼《おそ》る。責《せめ》深く予《われ》に在《あ》り」と、詔のなかで述べている。

百二十六代にわたる天皇のなかで、海外の王侯のように、贅に耽った天皇は、一人もいない。

天皇は、力がなくても、財力がなくても、国民によって敬まれてきた。

天皇を語ることによって、日本と中国、韓国の国柄の違いを、浮き彫ることができる。

私は昭和天皇が崩御されて、殯宮伺候《ひんきゅうしこう》（お棺が安置された前に、交替してお守りする）の一人としてお招きをうけたほかに、何回か新宮殿にあがったことがある。

私はそのたびに、ヨーロッパの絢爛豪華な宮殿や、歴代の中国の皇帝が住んだ北京の故宮と較べて、日本の皇居は何と違うのかと痛感する。

新宮殿のなかには、金銀に輝く装飾や、人々を威圧する財宝が一つもない。神社の雰囲気が漂っている。

皇居の杜に囲まれた宮殿の建築様式は、日本に上代から伝わる高床式で、屋根に千木が組まれている。

天皇陛下がおわされるところに、まことにふさわしい。日本の国柄が表れている。天皇が権力者ではなく、千古を通じて日本を精神的に束ねてこられたことを、感じさせられる。

私が親しくしてきた外国の元首も、大使たちも皇居を訪れると、異口同音に諸外国の宮殿とまったく異った空間であることに驚いたと、語っている。

天皇に拝謁した外国人は口を揃えたように、陛下が世界でもっとも謙虚な人であられると述べている。歴代の天皇は「私」をお持ちになることがなく、日本だけでなく、全世界の平和を真摯に祈ってこられたからだ。

神代から合議制の「和」の国日本

私はアメリカの未来予測の大御所といわれた、ハーマン・カーン博士（一九二二年～八三年）と親しかった。ハドソン研究所の創設者だったが、著書『超大国日本の挑戦』によって知られていた。博士が来日した時に、高松宮宣仁親王殿下の高輪の御殿にお連れして、御紹介したことがあった。

その時に、殿下が兄宮に当たられる昭和天皇について、「私たちはせいぜい百年前後しか考えないが、（昭和天皇は）つねに、これまでの二千年と、これからの二千年の時間によって、お考えになられている」と仰言ったので、饒舌な博士がしばらく黙ってしまった。

外国人識者による日本論といえば、イギリスの大記者だったヘッセル・ティルトマン氏（一八九七年～一九七六年）を忘れることができない。戦前、イギリスの名門日刊紙『ザ・ガーディアン』東京特派員として来日し、戦後、日本に戻って吉田茂首相の親友として知られたが、在京の外国特派員協会会長もつとめた。

私は当時からアメリカの新聞に寄稿していたが、二十六歳の時にティルトマン記者の知遇をえて、戦前と占領下の日本における体験をきくうちに、目を開かれることが多かったので、新潮社に話して同氏の回想録を『週刊新潮』に、昭和四十年に三十六週にわたって連載した。

このなかで、ティルトマン氏は満州国を絶賛するなど、日本の行動を擁護している。

そして、日本が建国以来国柄を変えることなく守ってきたことを、「日本は二千六百年古い国ではない。二千六百年も新しい国だ」（『日本報道三十年』、平成二十八年に　祥伝社が復刊）と述べている。

ティルトマン氏は私に「日本は古い、古い国であるのに、外国と違って廃墟となった遺跡が一つもないのは珍しい。皇室が万世一系で続いているのを説明しています」といって、伊勢神宮など多くの神宮や神社が二十年あまりの周期で、式年遷宮―昔の姿のまま忠実に造営されていることをあげた。

私はギリシアのアテネで古代アクロポリスの丘にたつパルテノン神殿を訪れたことがあるが、今日のギリシアのありかたとまったく無縁である。

私は『源氏物語』や、川端康成文学の名訳者として知られた、エドワード・サイデンステッカー教授（一九二一年〜二〇〇七年）とも親しく、上野池の端で催されたお別れの会で献杯の言葉をのべたが、口癖のように「わたしは明治翻訳語の『指導者』という言葉が、大嫌いです。日本は和の国です。最高神の天照御大神も権威であっても、権力はなかった」と嘆いていた。

日本では、神代のころから合議制の「和」の国だったから、英語のリーダー、ドイツ語のフューラーに当たる言葉が存在しなかった。

日本の浮世絵を中心としたジャポニズムが、幕末から明治にかけて、西洋の絵画、庭園、建築、服飾などに深奥な影響を及ぼしたが、視覚的なものにとどまった。

いま、日本の万物に霊《アニマ》が宿っているアニメや、日本発のエモジ、自然と一体の和食から、人と自然が平等だというエコロジーまで、かつてのジャポニズムをはるかに大きく超える、日本の心の高波が世界を洗っている。

ヨーロッパ、アメリカでは、エコロジーが新しい信仰となって、一神教を置き換えつつある。日本の和の心がひろまることによって、抗争に明け暮れる人類を救うこととなろう。

日本文化への共感が増すなかで、天皇の御存在に対する理解が、いっそう深まることとなってゆこう。

最大の脅威は日本国憲法

日本が直面する最大の脅威は、何だろうか？

中国でも、北朝鮮でも、ロシアでもない。

正解は、日本国憲法だ。こんな間抜けた憲法を戴いている国は、世界広しといえども、日本しかない。

イギリスの大歴史家トインビーは、「古代ローマ帝国を滅ぼしたのは、帝国の辺境を脅かしていた野蛮人ではなく、国内で〝パンとサーカス〟の享楽に耽《ふけ》っていた野蛮人だった」と、ローマ国民だったと断じている。

日本国民の多くが一国平和主義をほめたたえているが、一国享楽主義でしかない。一国平和主義は、一国享楽主義の別名だ。

現行憲法は、アメリカが占領下で日本から永久に軍備を奪って、属領にすることをはかった、どう読んでも、べらぼうな代物《しろもの》だ。

箆棒《べらぼう》は、江戸時代前期の見世物の、信じがたい異様な化物の名で、馬鹿とか、たわけを意味するようになった。

日本が独立を回復して、六十八年たつが、日本国民はこのべらぼうな憲法を、改めていない。

日本国民は、それほど、たわけなのだろうか？

いや、日本はアジアで唯一つ先進国となった、利発な国だ。それだったら、原因は何だろうか。

江戸時代に三世紀近くにわたって、平和が続いた。

徳川家の支配を永続させるのを、至上の目的としたから、新しい政治思想を禁じ、能力主義を斥けて、血筋と年功序列による、硬直した体制をとった。

江戸時代は、泰平が二百六百年以上も続いて、庶民が豊かな生活を享受して、世界のなかで庶民がもっとも恵まれた時代が、つくりだされた。

幕府は、御政道に反しないかぎり、庶民に自由を許していたので、絢爛《けんらん》たる芸術が開花した。

だが、徳川幕府による平和は、明治以後の日本の呪いとなった。

幕府は泰平を維持するために、何より戦乱を恐れた。

武士は幕府が統治思想とした、儒教漬けにされたが、孫子の兵法の心髄である、「兵者《へいは》詭道也《きどうなり》」（敵を騙すこと）を、学ばせなかった。

幕府が、儒教の王道を重んじて、詭計を否定したために、戦略思考がタブーとなった。

武士道は戦うことが目的でなくなり、勝つことではなく、「死ぬ」ことに価値が与えられ、精神修養の哲学に退化した。

先の大戦中に、アッツ島から硫黄島まで、数多くの離島において日本軍が玉砕——全滅していったが、軍部も、マスコミも、「死ぬ」ことを讃美したから、国民の士気をそぐことがなかった。

江戸時代の庶民を涌かせた、歌舞伎の演《だ》し物《もの》の『忠臣蔵』は、吉良邸に突入する前に、正門前で大石内蔵助が山鹿《やまが》流の陣太鼓を高らかに打ち鳴らすのが、見世場となっている。四十七士は奇襲したはずだったが、奇襲となると、王道に反した。

明治維新が、徳川体制を一新したから、才気ある人々が国を導いたが、日清・日露戦争に勝つことができた。

ところが、日清日露戦争に勝つと、自信過剰を患って、再び江戸時代へ戻った。

日本は先の対米戦争で、軍と官が年功序列によったために、ボロ負けした。

まさに、「皇国の興廃、この一戦に在《あ》り」の真珠湾攻撃の機動部隊の司令官は、砲戦の専門家で、航空についてまったく無知だった南雲忠一中将だった。

ミッドウェー海戦も、「皇国の興廃」がかかった一戦だった。司令官は年功序列による、南雲中将だった。陸海軍について、このような同じことがいえた。

戦後、高度経済成長によって、世界第二位の経済大国となると、また、日露戦争後に似るようになった。

日本国憲法が戦略思考を奪ってしまったために、憲法が家康公の祖法となっているから、憲法改正が至難のこととなっている。

あとがき

文在寅大統領は、二〇一九年十一月に、タイのバンコク郊外で催された、東アジア地域包括的経済機構の会場のホテルで、安倍首相をロビーのソファに誘った。

韓国側は自慢げに、安倍首相と「十一分にわたって会談」が行われたと発表したが、日本政府によれば、「会話を交した」だけだった。

両首脳は通訳を交えて話した。十一分の半分にあたる五分三十秒を通訳が用いるから、通訳が主役だった。仮に両首脳が同じ時間発言したとすれば、互いに二分弱づつしかなかった。

この待ち伏せは、韓国側が事前に周到に仕組んだものだったが、韓国内へ向けて韓日《ハンイル》関係《クワンゲ》が改善されたことを示すために、待ち構えていた韓国側のテレビチームによって、撮影された。

文大統領は昭恵夫人に頬を緩ませて、二回も頭を下げて、握手を求めたうえで、安倍首相に終始おもねた。

これまで「反日」演説を行う時のこわばった表情と、まるで別人だった。

私の韓国の友人がすぐに、「テレビのニュースを見たが、文在寅の手の平から、手相《ソンクム》が消えてしまった《イサラチョッタ》にちがいない」と、メールをくれた。

韓国では手を揉んで胡麻《ごま》を擦るあまり、掌《てのひら》から手筋がなくなってしまうという。私もそう心配した。

文大統領は「反日《パンイル》」を煽りすぎたかたわら、側近の曹国《チョグク》氏が家族ぐるみの金銭や、娘の不正入学など疑惑だらけだったのにもかかわらず、法務長官に登用して暴走したのに対して、国内で反対が募って大火傷したために、韓日関係を修復しようと焦って、擦《す》り寄ったのだった。

私は第一章で、「韓国は可愛い国だ」と指摘したが、安倍首相を前にした文大統領は、まさに、叱られたばかりの子どものようだった。

この日の文大統領は、可憐《かれん》だった。韓国語で常識を無視してつけあがるのを、「ポルッオプシグルダ」というが、その罰として、卑屈に振る舞わねばならなかった。

私は文大統領が信念の人だと思って、期待していたが、失望した。もっと、反日政策を進めて、自滅してほしかった。

文大統領はバンコクへ向かう前に、大統領の五年の任期の折り返し点を迎えた。

「これから、国らしい国造りを行う」と演説して、今後、政権を運営する決意を訴えた。

すると、韓国のネットが、文大統領に対する数千人による非難で溢れた。

「もう終わったと思ったのに、まだ半分あるの？　恐ろしい《ムソプタ》」

「これから何もしないのが、国のための道だ《クゲナラルル・ウイハンギルタ》」

「みんなが残された人生《インセン》を、ハッピー（英語）にすごしたいなら、表に出て、引きずり降そう」

「今年中に、文在寅を引っぱり降さなければ《グロネリジ・アヌミョン》、この国に未来はない《ミレヌンオプタ》」

「国の経済をメチャメチャにした。辞職しろ」

「このヤロー《イノムドラ》、この国を犬小屋《ケーパン》にしやがった」

韓国では、犬は「犬野郎《ケーノム》」といったように、罵倒する時に使われる。警察の派出所《パーチュルソ》は、「犬小屋《ケーチップ》」だ。このあいだまで、猫も不吉な動物だと信じられていた。

もっとも、このところ韓国社会が豊かになったために、犬や、猫がペットとして大切にされるようになっている。

ここまで余裕《ゆとり》ができたのなら、日本も好きになってほしい。

もっと、ネットから拾おう。

「北鮮《プカン》、北韓《ブカン》×（掛ける）100、パルゲンイ（このアカめ）！」

「バカは早く死んだほうが《ピョンウン・パルリチュンヌンゲナッタ》、国が生きる」

「お前のオンマ（ママ）が逝ったから、オンマについていったと思ったのに」

文大統領の母堂が、年内に亡くなったのを指している。

韓国語は、中国語と同じように、罵倒語が豊かだ。

それと較べると、日本語は「和」の力という、強いブレーキがかかっているので、罵倒語に貧しい。

もっとも、英語で呪いの言葉《カース・ワーズ》というが、英語をはじめヨーロッパ諸語も、同じように罵倒語が豊富だ。日本は世界のなかで変わり種であって、言霊《ことだま》を幸わう国なのだ。

日本にとって、今日の韓国はたしかに手に負えない。

それでも、今日、韓国が経済発展しているのをみると、私たちの先人の見事な業績を誇りに思う。

先人たちが韓国の経済・社会水準を、内地並みに引き上げようと、情熱に駆られて誠を盡したことを振り返えると、韓国を正しい道へ導かなければならないと思う。先人の努力を、無駄にしてはなるまい。

本書のなかで、あとがきで朝鮮総督府が日本統治時代に編纂したハングル教科書の訳を、紹介することを約束した。

朝鮮総督府《チョソンチョントクプ》が編纂した『普通学校　朝鮮語読本』は、大正十三（一九二三）年から六巻まで発行された。普通学校《ポートン・ハッキョ》は、小学校である。低学年の読本は、すべてハングルで書かれており、高学年になるにつれて、漢字が混じっている。ここでは、邦訳のみ紹介しよう。

巻一は、つぎのように始まる。

「牛《ソ》
松《ソナム》の木。柳《ボトウナム》の木。
鶴《ドゥルミ》。松《ソナム》の木の枝《カジ》。
お父《アボジ》さん。われわれ《ウリ》のお父《アボジ》さん。
お母《オモニ》さん。われわれ《ウリ》のお母《オモニ》さん。
ダイコン《ム》。ナス《カジ》。セリ《ミナリ》。（以下省略）」

高学年に進むと、汽船や、自動車、電車、朝鮮史の偉人、地理、気候、諺《ことわざ》、詩歌などが登場する。

ラジオ

「野から帰ってくる村人たちは、正植《チョンシク》の家の前に、長い竿を二本立てて、そのいただきに針金を横に渡しているのを、不思議そうに見て、『いったい、何だろうか《デチェジョゴスン・ムオットイルカ》』と言いながら、通りすぎていった。

それは、お祖父さんの還暦《ファンガプ》を祝うために、正植とその兄の秀植《スシク》がニワトリの卵《ケラン》を売って貯蓄したおカネで買った、ラジオのアンテナでした。（以下略）」

このあとで、村人たちがラジオの前に集まって、京城（現在のソウル）から送られてくる放送を聴いて、科学の進歩に感心する。

朝鮮半島の社会水準を、内地並みに引き上げるためには、何よりも識字率を高めることが必要だった。

本書で、私は韓国が「幼な児の国」だと指摘したが、日本も韓国とかわらない。自立することができない、幼な児に似ている。

今日の日本は、日本を取り巻く国際環境が厳しさを増しているというのに、国家としての自立心が希薄なために、日本の平和と繁栄を持続できるか、深い不安に駆られる。

憲法を急いで改めねばならないが、多くの国民が「憲法改正よりも台風被害からの復興が先だ」とか、「福祉を優先すべきだ」「保育所をつくるほうが先きだ」と思っている。次元が違った、まったく筋違いな議論だ。

現行の日本国憲法は日本の安全と生存を、一方的にアメリカに依存している。だが、外国であるアメリカがどのような状態のもとでも、日本を守ってくれる保障はない。

現行憲法は日本の自立を妨げており、国家の存亡をアメリカに委ねているから、アメリカへの「甘えの憲法」でしかない。

だが、いつまでアメリカに甘えていられるものだろうか。日本が自立しなければ、日本が危ふい。

甘えは、幼な児が行うことだ。日本は揺り籠から一刻も早く降りて、おとなの国にならなければならない。

護憲派は保育所で無心な時を過している、幼児の集まりのようだ。

護憲派やマスコミが、現行憲法を「平和憲法」と呼んでいるが、幼な児が成長するのをとどめようとする、玩具《おもちゃ》なのだ。

現行憲法は独立国の憲法とは、とうていいえない。

占領下で、この憲法を書いたアメリカ人のなかに、日本語を自由に読み書きできる者が、一人もいなかった。古代から育まれてきた日本の国柄を理解していた者が、一人もいなかった。このような外国人が集まって書いたのだから、日本の大黒柱である憲法を起草することが、できたはずがない。

このような憲法では、国民の愛国心が涌くはずがない。

国家意識が希薄になっているのは、日本にふさわしくない憲法を戴いてきたためだ。

国家意識が欠落しているから、憲法を大切にすることがない。

そのために、戦後、今日に至るまで、憲法を改めることができないでいる。国民に日本が国家であるという覚悟がないから、国民が憲法に真剣な関心をいだくことがない。

もし、国民に健全な国家意識があるとすれば、日本が講和条約によって独立を回復してから、国家の基本法である憲法を、当然、改めていたことだろう。

日韓両国は反目しあうことなく、互いに相手を重要な資産《アセット》として考えるべきだ。

そうすれば、両国民は活力に溢れているから、割り算ではなく、掛け算の関係を結ぶことができよう。

【著者紹介】

加瀬英明（かせ・ひであき）

1936年東京生まれ。外交評論家。慶應義塾大学、エール大学、コロンビア大学に学ぶ。「ブリタニカ国際大百科事典」初代編集長。1977年より福田・中曽根内閣で首相特別顧問を務めたほか、日本ペンクラブ理事、松下政経塾相談役などを歴任。公益社団法人隊友会理事、東京国際大学特命教授。
著書に『昭和天皇の苦悩　終戦の決断』『昭和天皇の苦闘　巡幸と新憲法』（勉誠出版）、『イギリス　衰亡しない伝統国家』（講談社）、『徳の国富論』（自由社）など。現在『加瀬英明著作選集』（勉誠出版）を刊行中。

迷走《めいそう》する韓国《かんこく》をどうしたら救《すく》えるか

警告！日本も韓国病を患っている

2020年1月20日　初版発行

著　者　加瀬英明

発行者　池嶋洋次

発行所　勉誠出版 株式会社

〒101-0051　東京都千代田区神田神保町 3-10-2

TEL：(03)5215-9021(代)　FAX：(03)5215-9025

〈出版詳細情報〉http://bensei.jp

印刷・製本　中央精版印刷

ISBN 978-4-585-23073-1　C0031

神道が世界を救う

世界一自由で平和な国・サンマリノ共和国の駐日大使と海外を知り尽くした外交評論家が、神道の本質、これからの日本を語りつくす！

マンリオ・カデロ／加瀬英明 著・本体九〇〇円（＋税）

岸信介　最後の回想

その生涯と60年安保

岸信介こそ、戦後もっとも偉大な首相だった。アメリカが内に籠もり、日本は自立を強いられる今、三十六年ぶりに公開される談話録によって、岸信介が蘇る。

加瀬英明 監修／加地悦子 聞き手・本体一三〇〇円（＋税）

グローバリズムを越えて自立する日本

腐敗した組織「国際連合」の実状とグローバリズムという収奪の実態を暴き、日本の自立自尊、相互尊重の国是を内外に示して、令和新時代を開く指針を提示する。

加瀬英明・馬渕睦夫 著・本体九〇〇円（＋税）

昭和天皇の苦悩
終戦の決断
昭和20年1月～昭和20年8月

東京大空襲の惨状を極秘に視察した昭和天皇。日本が崩壊しようとするとき、はたしてはなにを思ったのか。終戦の決意に至った、その深奥をたどる。

加瀬英明 著・本体一〇〇〇円（＋税）

昭和天皇の苦闘
巡幸と新憲法
昭和20年8月～昭和26年4月

GHQによる日本占領、戦犯問題、焦土の中の巡幸、新憲法制定…。数々の難局に対峙した昭和天皇の5年8ヶ月を、関係者への膨大なインタビューをもとに再現する。

加瀬英明 著・本体一〇〇〇円（＋税）

フーバー大統領が明かす
日米戦争の真実
米国民をも騙した謀略

仕掛けたのはアメリカだ！　戦争責任論の迷妄を解く。フーバー元米大統領が膨大な資料に基づいてつぶさに検証した第二次世界大戦の真実とは？

加瀬英明 編著／藤井厳喜・稲村公望・茂木弘道 共著

本体八〇〇円（＋税）